Porte Bonheur

**Les Éditions Porte-Bonheur**
une division des Éditions du Cram Inc.
1030, rue Cherrier, bureau 205
Montréal, Québec, Canada, H2L 1H9
Téléphone : 514 598-8547
Télécopie : 514 598-8788
www.porte-bonheur.ca

**Illustration de la couverture
et conception graphique**
Alain Cournoyer

**Révision et correction**
Lucie Brouillette et Michel Bouchard

Dépôt légal — 4ᵉ trimestre 2010

Bibliothèque nationale du Québec
Bibliothèque nationale du Canada

Copyright 2010 © Les Éditions Porte-Bonheur

Gouvernement du Québec — Programme de crédit d'impôt pour l'édition de livres — Gestion SODEC. Les Éditions Porte-Bonheur sont inscrites au programme de subvention globale du Conseil des arts du Canada.

Les Éditions Porte-Bonheur bénéficient du soutien financier du gouvernement du Canada, par l'entremise du ministère du Patrimoine canadien, dans le cadre de son programme d'aide au développement de l'industrie de l'édition (PADIÉ).

Conseil des Arts du Canada

Canada Council for the Arts

Société de développement des entreprises culturelles

Québec

Patrimoine canadien

Canadian Heritage

**Catalogage avant publication de Bibliothèque et Archives nationales du Québec et Bibliothèque et Archives Canada**

Lamy, Fernande D., 1954-

    Obsession aveugle

    (Collection Talisman)
    Suite de : Cauchemar aveugle.
    Comprend des réf. bibliogr.
    Pour les jeunes de 12 à 14 ans.

    ISBN 978-2-922792-87-4

    I. Titre. II. Collection : Collection Talisman.

PS8623.A489O27 2010      jC843'.6    C2010-942176-0
PS9623.A489O27 2010

Imprimé au Canada

# Fernande D. Lamy

# Obsession aveugle

**Autres ouvrages de Fernande D. Lamy :**

**Pour ados :**

*Cauchemar aveugle* (Vents d'Ouest 2006)
— finaliste au Prix du Gouverneur Général —

**Pour enfants :**

*Un colibri bien mal pris* (Éditions du Phœnix 2008)

# Obsession aveugle

Toute ma gratitude à ma famille et à mes amis.

Merci à Guylaine B. qui m'a poussée à continuer
l'aventure de Thierry.

À Cathie G., Suzanne B. pour leur soutien.

À monsieur Pierre Lavigne, mon éditeur,
qui a permis cette continuité.

Et surtout à l'amour de ma vie, Laurier qui sans cesse
m'encourage dans le merveilleux monde de l'écriture !

Merci!

# Chapitre premier

## Un passé encore si présent

— Lumino? C'est toi? Lumino! Je savais bien que tu reviendrais! Tu ne pouvais pas m'abandonner, hein! Ne refais plus jamais ça!

Pendant un court moment, Thierry Roy fut pris d'un rire fou, incontrôlable. Il l'avait reconnu! C'était son Lumino qui l'appelait. Cette fois, il le sauverait. Il aurait dû savoir qu'il ne pouvait pas être mort! Pas Lumino! Il pivota sur lui-même, à la recherche du chien qui gémissait. Des branches d'arbres jonchant le sol du lugubre cimetière l'entouraient de partout, lui obstruant le passage.

— Arrête de pleurer, je t'en supplie! J'arrive!

Lorsqu'il croyait s'être enfin débarrassé du dernier obstacle qui le séparait de son chien, une nouvelle branche tombait à ses pieds, dans un grand craquement.

Non, il ne dirait surtout pas à Lumino de venir vers lui, car encore une fois il le perdrait. Le jeune aveugle irait lui-même le retrouver.

La voix de son père, qui tentait de le décourager, résonna dans sa tête :

— Thierry, cesse de chercher. Il n'y a plus d'espoir de le trouver!

— Non, je peux encore le sauver !

Il voulut forcer la cadence, mais son corps était de plomb ! Même s'il tentait d'accélérer le pas, ses bras et ses jambes ne répondaient pas à sa volonté. Lorsqu'il croyait s'approcher de son chien, la plainte qui le guidait vers lui faiblissait. Rempli d'angoisse, il comprit qu'il devait faire vite.

Il n'entendait plus rien quand soudain il l'aperçut. Il était là, à ses pieds. Paniqué, Thierry s'accroupit près de lui. Lumino était toujours vivant ! Fou de joie, il entoura le cou robuste du bouvier bernois pour le serrer très fort contre lui. Ses bras ne rencontrèrent que le vide, rien de plus qu'une fumée grise. Un flot de larmes inonda ses joues.

À travers de cette fumée, Luc apparut, celui-là même qui s'était moqué de lui en lui offrant hypocritement son amitié. Il le reconnut malgré le masque de carnaval qu'il portait.

Luc se pencha pour coller son visage tout contre celui de Thierry et retira son masque brusquement. Une face monstrueuse surgit, la bouche étirée par un rictus cruel, écumant de bave, salivant déjà aux mots qui allaient blesser Thierry. Luc lui cracha au visage.

— Pauvre idiot ! Cherche pas ton chien. Enfonce-toi bien ça dans le crâne. C'est à cause de toi, et de ton truc bidon, que ton chien est mort[1]. Luc était si près de lui qu'il pouvait sentir son haleine. L'adolescent se leva

---

1   Voir, du même auteur, *Cauchemar aveugle*, Éditions Vents d'Ouest, 2006.

et voulut faire un pas en arrière pour s'échapper, mais quelque chose le retenait.

Dans son dos, il devina le corps d'un homme collé au sien. Deux bras, fins comme des fils de fer, et les mains décharnées d'un squelette encerclèrent étroitement ses épaules pour le maintenir face au visage hideux qui bavait des mots, comme une lave bouillante lui brûlant le cœur.

L'homme marmonna au creux de son oreille quelques mots qui firent trembler Thierry de la tête aux pieds. Puis il fit résonner son nom comme un coup de feu : MAX!

Le jeune aveugle s'éveilla, le souffle court, saisi d'effroi, frustré par le sentiment que quelque chose d'important lui échappait. Un frisson de dégoût lui parcourut l'échine. Ce cauchemar le poursuivait presque chaque nuit.

Des pensées d'horreur l'assaillaient durant ses insomnies, des monstres aux noms effrayants : culpabilité, peur, chagrin et désespoir. Thierry craignait de crever au fond de son lit s'il ne bougeait pas pour les chasser. Il s'obligeait à se lever malgré l'affolante sensation d'avoir un corps de plomb, comme dans son rêve.

Nuit après nuit, sa volonté l'emportait et il sortait du lit malgré la crainte que cette épreuve dure toute sa vie.

Le calme de la nuit n'était troublé que par la respiration régulière de ses parents qui dormaient dans l'autre chambre. Il revint lentement à la réalité.

Sans bruit, soucieux de ne réveiller personne, il alla prendre place à son ordinateur. Il respira profondément afin de contrôler ses tremblements. Il écrivit : «Trois mois se sont écoulés depuis ta mort, mon Lumino, et je te cherche sans arrêt.

Je n'ai qu'un souhait, te revoir. J'espère toujours, c'est fou, hein? Tout ce qui me reste ce sont des cauchemars peuplés de pièges. Je suis encerclé de partout et j'entends des rires moqueurs, des mots qui n'ont pas de sens ou pire encore, tes silements au moment... où tu m'appelais. On dirait que tu es encore quelque part... Je ressens un grand vide.»

Il cessa d'écrire, s'abandonnant à ses réflexions, puis reprit :

«J'ai été imbécile, mais je sais que tu me pardonnes. C'est dans ta nature généreuse. Mais tu dois m'aider à nouveau, seul je n'y arrive pas.»

Il délaissa son clavier. Sa pensée glissa vers ce qui avait transformé ses nuits en enfer : le souvenir obsédant de Luc Jordan, ce faux ami, un des responsables du drame qu'il avait vécu, et cette phrase insidieuse qu'il entendait sans cesse et qu'il ne parvenait pas à oublier. Max, celui qui avait tué Lumino en cherchant à se saisir de lui. Et leur promesse de vengeance...

Ils avaient emménagé récemment dans une nouvelle maison et ses parents l'avaient convaincu que tout irait pour le mieux. Il avait été idiot de croire qu'il suffisait de quitter la ville où s'étaient déroulés les moments les plus sombres de sa vie pour tout oublier. Pourtant il l'avait cru, sincèrement, entraîné par l'enthousiasme communicatif de ses parents. Étourdi par le tourbillon des évènements, Thierry s'était laissé emporter par le désir impérieux de faire cesser la douleur qu'il ressentait.

Mais il avait laissé derrière lui un être trop cher pour qu'un simple éloignement efface tout. Lumino lui manquait cruellement. Sa peine avait voyagé dans ses bagages. C'était même sa malle la plus lourde.

Laurence et Philippe Roy avaient tout mis en œuvre pour organiser une nouvelle vie, cherchant à réduire le plus possible les désagréments et les difficultés inhérents à l'état de leur fils. Le transport scolaire, d'accès facile, était efficace et sécuritaire. L'adolescent ne serait plus seul, comme par le passé, pour se rendre à l'école. Le nouveau quartier où s'installa la famille était plein de vie, assez pour faire oublier leur ancienne résidence qui avoisinait un austère cimetière.

Les parents avaient choisi une maison vaste et lumineuse – sachant Thierry sensible à la chaleur du soleil – dont les chambres étaient au rez-de-chaussée. Ils avaient aménagé leurs bureaux au sous-sol et avaient cédé à l'adolescent la plus grande pièce de la maison. Ainsi ses appareils de conditionnement physique ainsi que son bureau et l'ordinateur adapté à ses besoins de non-voyant trouvèrent leur place entre sa commode, ses chaises et son lit.

Lorsqu'ils lui demandaient son avis sur l'aménagement de sa chambre, Thierry haussait les épaules, indifférent.

— N'importe comment.

Ils lui signalèrent qu'en plus de l'immense cour, ils avaient maintenant de vrais voisins avec de jeunes enfants.

Aux yeux de ses parents, cette nouvelle résidence était parfaite, sauf pour un point : elle faisait face à une rue secondaire, qui s'étirait perpendiculairement sur plusieurs dizaines de mètres. Ils insistèrent pour qu'il redouble de prudence chaque fois qu'il voudrait la traverser. Ce que leur fils ne manquerait sûrement pas de faire, croyaient-ils car, au-delà des quelques maisons qui s'y trouvaient, un agréable sentier pédestre longeait un imposant boisé.

À la description des lieux par ses parents, Thierry, l'air désabusé, n'avait laissé paraître aucune émotion. Il fit semblant que cela le laissait froid, mais la présence d'un parc éveilla en lui un goût de fuite, d'évasion.

Le jour de leur arrivée, Thierry avait demandé à sa mère – à la surprise de cette dernière – d'aller explorer le sentier. Il était pressé de savoir s'il parviendrait à s'y débrouiller seul. De toute façon, il ne savait pas comment s'occuper et se sentait inutile parmi les journaliers engagés pour aider au déménagement.

— Je suis débordée, chéri…

— Laisse, Laurence. Je vais l'accompagner, moi.

— Non, j'aime mieux attendre maman.

Sa réponse fusa, spontanée. Il se le reprocha aussitôt.

Jamais depuis l'accident qui avait causé sa cécité à l'âge de sept ans l'adolescent n'avait reçu autant d'attention de la part de son père. Mais le rapprochement du père et du fils était difficile.

Durant sept ans, Philippe s'était montré autoritaire et froid, honteux du secret qu'il portait. Mais la peur d'avoir perdu son fils lors de l'enlèvement l'avait transformé. Il lui avait confessé sa responsabilité dans le drame qui avait provoqué son handicap, allégeant sa conscience d'un immense poids.

— Ce n'est pas grave, Thierry, le rassura Philippe en voyant le malaise sur son visage. Si je te le propose, c'est que j'ai du temps pour une fois. Ça me plairait de faire une marche avec toi. J'aimerais ça voir de quoi il a l'air, ce sentier, et t'apprendre à te tirer d'affaire le plus vite possible.

Laurence avait fait semblant de s'offusquer qu'on la laisse seule puis, en souriant, elle les mit à la porte, prétextant qu'ils étaient trop encombrants.

Elle les avait regardés partir, Thierry tenant le bras de son père. Cette image mit du baume sur son esprit angoissé.

Depuis trois mois, malgré ses efforts pour se maîtriser, la jeune femme ressentait une inquiétude continuelle. Elle imaginait des dangers partout. Elle aurait souhaité déménager à des milliers de kilomètres de là.

Laurence trouvait la distance trop courte entre les deux villes, mais Philippe lui fit comprendre que, quel que fût l'endroit, elle éprouverait la même peur.

Elle fut tentée d'abandonner son travail pour être plus près de Thierry, mais son mari l'en dissuada, voyant d'un très mauvais œil sa tendance à surprotéger leur fils.

Après la perte du chien-guide, les parents de Thierry respectèrent son refus d'aborder le sujet de la venue d'un nouveau compagnon. Ils lui avaient promis d'attendre et de ne rien faire sans son consentement.

Les semaines se transformèrent en mois. Le temps filait et Laurence et Philippe se désespéraient du silence de leur fils. Ils firent quelques tentatives pour revenir sur le sujet. Thierry resta intraitable. Plus jamais !

La nuit, les scènes les plus morbides reprenaient vie et entretenaient sa culpabilité. Il avait laissé bêtement les évènements se dégrader avant de réagir et lorsqu'il avait voulu résister, c'était trop tard. Lumino était bel et bien disparu.

Dans cette nouvelle ville, tout était différent. Malgré tout, les cris joyeux des enfants qui s'amusaient laissaient Thierry indifférent. De toute façon, ils étaient trop jeunes pour qu'il se lie d'amitié avec eux. Et c'était bien ainsi, car le cœur n'y était plus. La méfiance le portait à s'isoler.

Et il y avait ce M. Lucien Blouin. Un vieil homme seul, reconnu pour sa curiosité et son bavardage. Rien ne lui échappait. Il ne laissait filer aucune occasion pour faire connaissance et s'immiscer dans les affaires des autres. Un homme à la fois inquiétant et incontournable.

Sa demeure était la dernière sur la route, juste à l'entrée du sentier pédestre. M. Blouin passait des journées entières assis sur sa berçante, fumant sa pipe et épiant les allées et venues de tout un chacun par la fenêtre, à peine dissimulé par le fin voilage qui lui servait de rideaux. Le bonhomme gardait à portée de main son téléphone, prêt à raconter les nouvelles du coin à qui voulait bien l'écouter.

De chez lui, il avait vu les nouveaux propriétaires prendre possession de la maison du bout de la rue. Son visage lunaire s'était animé sous l'excitation de la nouveauté.

Le vieil homme était sorti sur le balcon pour mieux regarder ce qui se passait.

En apercevant un étranger s'amener sur sa rue, accompagné d'un jeune garçon qui lui tenait le bras et qui avait une canne blanche, il avait su immédiatement à qui il avait affaire. Il avait suivi l'histoire dans les journaux. Il ne laisserait sûrement pas filer une si belle occasion de faire plus ample connaissance.

Lorsque Thierry et son père furent à proximité, Lucien les interpella :

— Bien le bonjour !

Courtois, Philippe Roy ralentit le pas et le salua à son tour.

— C'est pas drôle de déménager en plein hiver ! Vous ne seriez pas le docteur Roy, par hasard ? Moi, c'est Lucien Blouin, le doyen de la ville.

D'un signe de tête, Philippe Roy approuva, mais il n'eut pas le temps d'ouvrir la bouche.

— C'est votre fils ? On parle beaucoup de lui dans les journaux, ces temps-ci. Il y a de l'action chez vous. Entrez ! Entrez donc, on gèle dehors. Vous ne voudriez pas que je tombe malade, pas vrai, docteur ?

M. Lucien se mit à rire. Une image se forma instantanément dans l'esprit de Thierry. Le son de son rire, comme un couinement, fit apparaître un énorme rat. Cela augmenta l'inconfort de cette première rencontre.

Philippe Roy accepta l'invitation en souriant, au grand dam de son fils.

Pendant la conversation, qui ne dura que quelques instants, ils restèrent debout près de la porte. Le jeune aveugle, agacé d'être l'objet de cette curiosité, ne prononça aucun mot et meubla le temps à identifier les sons et les odeurs qui flottaient dans l'air. L'odeur épicée du tabac à pipe, de la lotion après-rasage un peu trop forte, celle très subtile de la laine rance d'un vieux pull, le pot-au-feu qui mijotait doucement, le bond léger d'un chat aux pas feutrés qui s'éloignait en vitesse, le tic-tac de l'horloge, tous ces bruits et ces effluves lui rendirent moins antipathique l'inconnu indiscret.

Tout de même, Thierry estima le premier contact plutôt raté. Il avait trouvé le vieil homme impoli avec ses questions qui ressemblaient à des affirmations. Il se promit de se tenir loin de M. Blouin.

— Au revoir. Allez, viens, Thierry.

Il ne se le fit pas dire deux fois. Après tout, c'était le sentier qui l'intéressait.

Ils sortirent en saluant leur nouveau voisin. Lorsqu'ils furent assez éloignés, son père lui confia :

— Quel personnage coloré. C'est sans doute un brave homme, mais un peu fouineur.

— Un peu plus il te demandait le numéro du cadenas de mon casier à l'école !

— Il s'ennuie. Bon gré mal gré, on devra l'accepter. Sois un peu plus sociable avec lui et tu verras, il va t'adorer. Je crois qu'on peut lui faire confiance.

— Oui, on peut lui faire confiance pour tout raconter.

— Thierry! S'il te plaît! Si tu veux venir par ici, tu seras obligé de passer devant sa propriété. Ne l'oublie pas.

Cela ne plaisait pas à l'adolescent de savoir qu'il serait espionné à chaque fois qu'il souhaiterait se retrouver seul.

— Pas vrai! Sérieux? C'est le seul chemin?

— Oui. À moins de venir en automobile et de descendre directement à l'entrée du sentier pédestre. Malheureusement, nous n'aurons pas souvent le temps, ta mère et moi.

Son père n'avait pas besoin de le lui rappeler. Ses parents étaient rarement à la maison. Thierry poussa un profond soupir.

— Ne le prends pas ainsi. D'ailleurs, c'est beaucoup plus sécuritaire comme ça.

— Il va mettre son nez dans nos affaires. Tu trouverais ça plaisant, toi, de sentir que quelqu'un surveille tes moindres gestes?

— Non, évidemment, mais je crois qu'on peut en tirer parti.

« Je ne lui dirai rien du tout », pensa l'adolescent.

— Il voit tout le sentier?

— Non, il y a une courbe, très douce, vers la gauche. Tu la sens? À partir d'ici, la maison de M. Blouin n'est plus visible.

Satisfait de cette information, Thierry se tut et porta son attention au sentier pour tout enregistrer. Il se fit expliquer le parcours dans ses moindres détails.

Malgré toute la bonne volonté de Thierry pour se ressaisir et oublier les scènes d'horreur de son passé, son entourage l'en empêcha.

Son histoire était parue à la une des journaux. Les journalistes avaient parlé à profusion de ce drame. Le public s'était passionné pour cette affaire. Les gros titres s'étaient succédé, plus percutants les uns que les autres :

« Trafic de drogue mis à jour par un jeune aveugle. »

« Le fils aveugle d'un couple, tous deux médecins bien connus, échappe de justesse à la mort. »

« Fin tragique pour Lumino, un courageux chien guide. »

« Un chien guide sauve son jeune maître des mains d'un pédophile. »

« Un cadavre découvert dans un cimetière grâce au courage d'un jeune aveugle. »

Les journalistes avaient fait montre d'une grande imagination pour décrire cette histoire scandaleuse. Thierry avait été l'objet de rumeurs plus farfelues les unes que les autres.

Les vrais professionnels de l'information avaient été respectueux de la vie privée de l'adolescent, mais les «journaleux» qui alimentaient les tabloïds avaient harcelé la famille Roy dans le but d'obtenir des photos et des déclarations.

Malgré l'interdiction par les parents de s'approcher de Thierry, des journalistes réussirent, à l'aide de puissants appareils, à le prendre en photo, l'exposant ainsi aux regards de son entourage. La primeur en valait la peine!

La première journée de classe, Laurence avait attendu l'autobus avec lui, malgré ses protestations. Elle lui avait expliqué qu'un professeur serait là pour l'accueillir à son arrivée. Tout avait été réglé avec la direction.

— Tu n'as pas à t'inquiéter.

— C'est toi, maman, qui es inquiète.

Résigné, l'adolescent comprit qu'il ne servait à rien d'insister.

À sa descente de l'autobus, une désagréable surprise l'attendait : des journalistes!

Leurs questions provocantes le clouèrent sur place : «Tu n'as pas exagéré un peu?», «Il te manque beaucoup, ton chien?», «Comment c'était dans le caveau?», «Pourquoi tu as gardé le silence si longtemps?».

L'un d'entre eux lui avait même lancé : «Allons Thierry, ce n'est qu'un chien après tout que tu as perdu.

Ça se remplace. Je suis prêt à faire une collecte de fonds si tu me racontes ce que tu as vécu dans le caveau.»

Contrairement à ce qui avait été convenu avec ses parents, personne de l'établissement ne semblait être présent pour l'accueillir. Ébranlé, Thierry serra les dents pour ne pas céder à l'émotion qui l'assaillait. Il resta immobile, incapable de s'orienter vers l'entrée, espérant l'arrivée du professeur chargé de l'accompagner.

Avec soulagement, il entendit enfin une voix forte et tranchante. Quelqu'un venait à son secours :

— Laissez-le tranquille. C'est une cour d'école ici, pas une salle de presse. C'est pas contre votre code d'éthique, ce que vous faites ?

Le ton ferme du directeur dispersa le petit groupe de journalistes qui se retirèrent, déçus de n'avoir pu rien récolter d'intéressant.

— Viens, Thierry. Désolé du retard, le professeur qui devait t'accueillir a eu un empêchement de dernière minute.

Lorsque l'adolescent raconta à ses parents cet incident désagréable, Philippe Roy, excédé, téléphona au journal en cause dès le lendemain pour porter plainte. Décidé à ce que l'entretien se passe avec civisme, il s'efforça de rester poli malgré le manque flagrant d'éthique professionnelle de son interlocuteur, Serge Laliberté, et malgré son vocabulaire, si pauvre pour un «homme de lettres» :

— C'est «plate» un peu, je le reconnais, mais que voulez-vous! Quand le public veut savoir, il faut lui en mettre plein la vue. Ce n'est pas moi qui le dis. L'information, c'est un droit sacré!

D'une voix hypocrite, il ajouta :

— Entre nous, M. Roy – Dr Roy, plutôt – on sait comment ils sont, les ados, aujourd'hui. Thierry est aveugle, mais il est comme les autres, il a dû exagérer un peu pour se faire plaindre!

Philippe avait perdu patience et s'était emporté contre cet homme si prompt à juger.

— Si mon fils me signale qu'un de votre gang tente encore de l'approcher, ne serait-ce que pour le saluer, je vous poursuis en justice, vous m'entendez! C'est incroyable! Ce sont des gens comme vous qui informent la population!

— Pas d'insulte, et on se calme, mon bon monsieur. On se calme! Ça ne sert à rien de monter sur vos grands chevaux. Nous sommes entre gens civilisés. Du chantage… venant d'un homme distingué comme vous. Qui aurait pensé!

Malgré tout, la menace porta fruit. Petit à petit, même les plus acharnés d'entre eux abandonnèrent et levèrent l'état de siège, au grand soulagement de la famille Roy.

Cette arrivée tapageuse en plein milieu de l'année scolaire ne passa pas inaperçue. Thierry entendait chuchoter autour de lui. Des bribes de phrases lui parvenaient, blessantes et gratuites.

— Regarde, le nouveau. Il parait qu'il s'est fait *squeezer* par un pédophile.

— J'y trouve un petit air fendant. Des journalistes pour l'accueillir!

— D'après moi, il n'est pas complètement aveugle. Ouais, regarde-le aller. Il ne parle à personne.

— S'il avait parlé un peu plus, son chien ne serait pas mort.

— En tout cas, je ne me serais pas laissé prendre, moi!

— Arrêtez! Je le trouve mignon, moi, dit une voix féminine avec un petit gloussement.

Thierry fut tenté de riposter, mais, écœuré, il choisit de les ignorer.

Dans les jours qui suivirent, personne n'osa l'aborder. Le comportement obstinément fermé, à la limite de l'agressivité, du nouveau venu intimidait tout le monde. Thierry n'avait plus confiance en personne. Le moindre bruit le faisait sursauter, la moindre tentative d'approche le mettait sur la défensive.

Thierry se fabriqua avec peine une carapace d'indifférence et essaya de s'intégrer du mieux qu'il put. Son entourage finit par l'ignorer.

Il se répétait que c'était mieux ainsi, mais plus le temps passait, plus sa solitude lui pesait. L'absence de Lumino se faisait sentir cruellement. Alors qu'avant la présence rassurante de sa magnifique bête attirait les gens vers lui, il avait maintenant l'impression de ne plus exister pour personne.

Thierry se plongea dans ses études dans l'espoir de rattraper le désastre du précédent semestre et surtout pour tenter d'oublier. Oublier le gang qu'il avait dénoncé et leur promesse de vengeance. Maxime Thériault avait juré que quelqu'un lui ferait payer de s'être échappé. Il n'était pas déménagé au bout du monde, se disait-il, mais dans la ville voisine.

Une chose était claire désormais dans l'esprit du jeune aveugle. Il ne permettrait plus qu'on l'atteigne à travers un chien. Cela lui avait fait trop mal. Et il n'exposerait pas un autre chien au danger, convaincu qu'il était de lui porter malheur. Cette culpabilité étouffait tout désir. Personne ne le ferait céder.

# Chapitre II

*Un anniversaire pas très réjouissant*

Thierry était d'humeur maussade. Encore ce midi, son professeur avait insisté pour le conduire à la cafétéria. L'adolescent avait eu beau l'assurer qu'il pouvait très bien s'y rendre seul, cela n'avait servi à rien.

Ses professeurs l'avaient pris en affection, sensibles aux évènements traumatisants vécus par ce nouvel élève et au fait qu'aucun camarade ne semblait vouloir se lier d'amitié avec lui.

Mais leurs bonnes intentions commençaient à l'irriter sérieusement. Qu'ils insistent parfois pour le conduire d'une classe à l'autre pouvait toujours aller. La précipitation vers les autres locaux laissait peu de temps aux étudiants pour les remarques désobligeantes. Mais être accompagné à la cafétéria alors que celle-ci était bondée l'humiliait. Il devenait aux yeux de ses compagnons de classe le petit chouchou maladroit.

Il aurait pu en montrer à pas mal d'élèves qui se traînaient les pieds. Il ne voulait pas qu'on lui dicte sa conduite.

Seul pour dîner comme tous les midis, Thierry avait plusieurs raisons d'être tendu.

Hier, il avait eu quinze ans.

« Quelle fête *poche* ! » pensa-t-il.

L'adolescent aurait aimé pouvoir se confier à quelqu'un, parler de ce qu'il vivait. Il pensa avec regret à Catherine. Elle avait été son accompagnatrice durant quatre mois avant leur déménagement.

Thierry tenta de mettre de l'ordre dans les évènements de la veille.

Exceptionnellement, ses parents avaient terminé tôt pour être près de lui. Ils lui avaient préparé ses mets favoris et offert des cadeaux.

Il ressentit un pincement au cœur en se rappelant la carte que Catherine lui avait envoyée pour son anniversaire. Heureux qu'elle ait pensé à lui, il déchanta bien vite quand sa mère lui en fit la lecture :

*Bonne fête, Thierry,*

*Je ne pouvais passer sous silence cette belle journée pour toi. 15 ans ! Tu deviens un homme. Tu es le garçon le plus extraordinaire et le plus courageux que j'ai rencontré dans ma vie. Je t'admire et je suis fière de te connaître !*

*Je profite de l'occasion pour vous annoncer, à toi et à tes parents, que je pars en voyage en Europe. J'ai obtenu une bourse. Vous allez me manquer, toi surtout, mais six mois, c'est vite passé ! Je t'embrasse,*

*Très affectueusement,*

*Salutations distinguées à tes parents*
*Catherine xxx*

Au bas de la lettre, elle avait inscrit son adresse électronique.

Thierry fut attristé par la nouvelle, mais il s'efforça de ne pas se laisser abattre.

Toutefois une autre carte vint réduire à néant ses efforts et gâcha définitivement l'atmosphère.

— Allez, Thierry, souffle les chandelles. J'ai envie de goûter à ton gâteau d'anniversaire, moi. Chérie, tu veux lui lire la deuxième carte? demanda Philippe en regardant son fils d'un air joyeux, essayant de créer une ambiance de fête.

Attablé devant son gâteau dont il humait l'odeur des bougies, Thierry entendit sa mère décacheter l'enveloppe puis l'ouvrir.

— Une autre carte! Elle est de qui? dit-il juste avant de prendre une profonde inspiration et de souffler les chandelles.

D'un seul coup.

Il eut l'impression d'avoir tout éteint autour de lui, en même temps que les bougies. L'air sembla se figer.

— Maman? Qu'est-ce qu'il y a? Maman? Papa?

Il entendit le froissement d'un papier qu'on chiffonne en vitesse et que l'on glisse dans une poche.

Les chandelles éteintes refroidissaient au même rythme que son humeur. L'appétit coupé, Thierry concentra toute son attention sur ses parents afin de savoir ce qui se passait. La réaction de sa mère l'angoissait.

— Laurence, chérie, qu'est-ce qui se passe ? S'il te plait, lis-nous cette carte.

Inquiet, Philippe vit sa femme blêmir.

— Je t'en prie, donne-la-moi.

Il y eut un bruit de papier que l'on défroisse, lentement. Laurence interrogea son mari du regard :

— Oui, Thierry a le droit de savoir.

— Qu'est-ce qu'il y a ? insista Thierry. Pourquoi c'est long comme ça ?

Philippe Roy fit une pause puis déclara :

— C'est une carte anonyme.

— Lis-la !

Après un profond soupir, Philippe s'exécuta :

*Au beau Thierry,*
*Je te souhaite Bonne fête.*
*Amuse-toi bien.*
*P.-S. Thierry, tu as dévoilé le secret des autres… Alors…*
*Tu connais la «loi du retour»…? Demande à ton père.*
*Salutations chaleureuses à M. Roy et à son épouse.*

Perdu dans ses pensées, indifférent au bourdonnement des conversations des élèves autour de lui, l'adolescent semblait habité par les scènes pénibles qui avaient suivi la lecture de la carte.

Il n'avait rien compris à l'étrange message.

Le jeune aveugle sentit sa mère frissonner. Il entendit Philippe relire le message à voix basse.

Qui pouvait bien lui avoir envoyé cet avertissement? Qui connaissait la date de son anniversaire? Leurs parents émirent plusieurs hypothèses avant que son père ne mette fin abruptement aux questions sans réponses :

— Demain, à la première heure, je vais porter cette lettre à la police.

Ce fut une fête ratée. La tension n'avait cessé de monter et, comme il l'avait craint, l'adoption d'un chien revint à l'ordre du jour.

«Pourquoi ne me laissent-ils pas décider?»

— Ça fait maintenant trois mois, Thierry. Nous sommes conscients que c'est peut-être peu pour toi, mais le temps presse. Trois mois que l'on espère, ta mère et moi, que tu nous dises que tu es enfin prêt à accepter un autre chien. Jusqu'ici on n'a fait qu'effleurer le sujet.

— C'est à cause de mon chien qu'on m'a manipulé! Sans lui, on ne me remarque pas. Si je n'ai rien, on ne m'arrachera rien.

— Ton père a raison d'insister, Thierry. Tu sais, comme nous, que c'est la meilleure protection pour toi. Aucun chien ne remplacera jamais Lumino. Il a accompli plus que ce que l'on pouvait espérer de lui. Mais aujourd'hui, ce qui compte par-dessus tout, c'est ta sécurité! Et seul un chien peut l'assurer. Chaque fois que tu sors seul, je suis morte d'inquiétude.

La voix de sa mère tremblait.

Le jeune aveugle sentit ses yeux s'emplir de larmes. En colère contre lui-même, il respira profondément.

— Je n'en veux pas. Trois mois... c'est pas beaucoup! Je n'ai pas besoin d'un autre chien. De toute façon, plus personne ne s'occupe de moi. Maman, tu n'arrêtes pas de me dire que je n'ai rien à craindre, que Max est en prison et que sa bande est sous surveillance. Pourtant à t'entendre parler, on dirait qu'ils sont à côté prêts à me sauter dessus à la première occasion. Tu ne m'aides pas!

Cette remarque blessa Laurence. Jamais elle n'avait élevé le ton avec son fils. Elle lui dit, en colère :

— Moi, je ne t'aide pas? Je ne pense qu'à ça, t'aider! Et cette carte, c'est quoi? De quel secret parlent-ils? Ils savent la date de ton anniversaire!

— Je ne sais pas, moi! Aujourd'hui, les profs l'ont souligné à chaque cours, ou presque. Ou c'est un autre truc de journaliste? Ou quelqu'un a voulu me jouer un tour? C'est juste une carte, après tout!

Il parlait d'une voix persuasive pour tenter de rassurer sa mère. Mais elle le connaissait trop bien, son fils. Il cherchait surtout à se montrer fort, encouragé en cela par son père.

«On dirait que papa a fait exprès de me parler des chiens qu'il a vus. Il sait que ça me fait mal. Comme si c'était de ma faute, tout ce qui est arrivé. Il s'est mis du côté de maman.»

— Je n'aime pas cette carte, moi non plus, Thierry. Nous savons que faire le deuil d'un ami précieux demande du temps, mais il s'agit de ta sécurité. Pas seulement quand tu te déplaces, mais aussi…

Philippe se tut, ne voulant pas alourdir davantage l'atmosphère. Il laissa sa phrase en suspens, puis il reprit :

— Une deuxième demande pour obtenir un chien guide est toujours traitée rapidement. Tu es un excellent maître. Tout pourrait se faire très vite. Je me suis rendu à la Fondation et j'ai vu une nouvelle race, des labernois. Les chiots sont splendides. Ils ne demandent qu'à se dévouer à quelqu'un qui leur donnera de l'affection.

— Mais… mais… aucun sera jamais comme… Lumino !

— Nous le savons tous, chéri, reconnut sa mère.

Cet argument l'avait déstabilisé. L'adolescent adorait les chiens. Pour la première fois, il ne trouva rien à répondre à son père. Il eut l'impression de trahir Lumino.

«Et tout ça, à cause d'une carte», pensa-t-il.

Il se leva d'un bond en poussant sa chaise et, sans ajouter un mot de peur que sa voix ne tremble, il saisit son manteau, déplia sa canne et s'apprêta à sortir.

Inquiète, Laurence le suivit jusqu'à la porte.

— Mais qu'est-ce que tu fais, Thierry? Chéri, attends, où est-ce que tu vas? Pas encore au sentier? Tu ne sors pas à cette heure-ci. Il fait noir!

Thierry rétorqua, ironique :

— Parce que tu penses que ça me dérange?

— Peut-être pas, mais moi, ça me dérange. Reviens! Je n'aime pas ça que tu sortes seul le soir. Philippe, parle-lui!

Avant que ce dernier n'ait le temps de réagir, l'adolescent coupa :

— Je m'en vais juste en face. Dans le sentier, oui. Où voudrais-tu que j'aille d'ailleurs? J'ai besoin de respirer. Appelle la fouine à Blouin, il ne demande pas mieux qu'à me surveiller.

— Thierry Roy, sois poli. Tu passes tout ton temps là. Tu y es allé chaque jour, cette semaine. Nous cacherais-tu encore quelque chose?

C'était la première fois que Laurence opposait un ton accusateur au silence derrière lequel son fils se réfugiait souvent. Elle le regretta aussitôt, mais la crainte que son adolescent lui dissimule à nouveau quelque chose l'emporta sur son problème de conscience.

— NON!

Thierry sortit en claquant la porte.

Absorbé par ses pensées, Thierry avait cessé de manger.

Peut-être n'avait-il pas été tout à fait sincère. Mais c'était différent cette fois-ci. Ce qu'il gardait pour lui ne regardait que lui et si ses parents l'apprenaient, il était certain qu'ils lui interdiraient de se rendre dans le boisé.

Il avait voulu échapper à l'ambiance étouffante.

L'adolescent s'était dirigé vers le sentier afin d'être seul. Il aurait fui très loin de chez lui, s'il avait pu.

Même M. Lucien avait été étrange avec lui, hier, et il l'avait inquiété avec ses recommandations.

Alors qu'il espérait passer inaperçu, souhaitant surtout ne parler à personne, Thierry entendit une porte s'ouvrir, puis des pas hésitants sur le balcon.

«Ah! Non, il m'a vu! Quoi qu'il dise, je n'arrêterai pas.»

— Tiens, de la visite. Salut, jeune homme. Rentre, rentre un peu. T'es pas un peureux, toi, hein? Je t'ai vu traverser la rue en vitesse sous les lampadaires. T'es un vrai pro. Il y en a qui pensent pratiquer des sports extrêmes quand ils essaient des choses un peu hors de l'ordinaire, c'est rien si on compare à ce que tu réussis, toi. Tu sais ça?

Cette remarque flatteuse toucha Thierry qui sourit malgré lui. N'obtenant pas de réponse, M. Blouin continua :

— Qu'est-ce que tu fais dehors à cette heure-là? C'est pas prudent. Il y a des choses pas très normales de ce temps-ci. Tes parents sont au courant, j'espère?

— Hum! Hum!

Sans s'arrêter, Thierry hocha la tête, tout en se concentrant sur le chemin, se rappelant tous les détails que son père lui avait signalés.

Élevant un peu la voix pour être certain d'être entendu, M. Lucien lui dit :

— J'allais oublier. Bonne fête!

Thierry s'immobilisa. Il se tourna vers son interlocuteur.

— Mais qui vous a dit que c'était mon anniversaire?

Lucien invita à nouveau le jeune garçon à entrer. Thierry refusa. Il l'entendit descendre les marches du perron et venir vers lui.

— Une chance que j'ai mis un manteau quand je t'ai aperçu. C'est pas chaud. Le vieil homme marqua une pause pour souffler un peu. J'ai eu de la visite aujourd'hui. Un monsieur qui m'a dit être journaliste. On a piqué une jase. Il a posé toutes sortes de questions, sur toi, sur tes parents. C'est lui qui m'a dit que tu avais quinze ans aujourd'hui. Je lui ai demandé son nom. Il a sorti une carte qu'il a passée sous mon nez, si vite que je n'ai rien vu. Il l'a fait exprès. Quand j'ai vu ça, j'ai arrêté de lui raconter des choses. Je lui ai dit d'aller plutôt vous rencontrer, pour sûr que ce serait mieux, vu que je ne vous connais pas beaucoup. Il m'a répondu que c'est ce qu'il ferait. Il est parti. J'ai regardé par la fenêtre, et tu sais quoi ? Il ne s'est même pas rendu chez toi !

— Mon père a interdit aux journalistes de m'approcher.

— Oui, oui, approuva Lucien, la mine songeuse. Il fait bien. Mais inquiète-toi pas, je n'ai rien dit d'important qu'il ne savait déjà.

Thierry pensa à la carte qu'il avait reçue. Il fut tenté de rebrousser chemin, mais il n'en fit rien. Il reprit sa route, espérant que l'échange s'arrêterait là.

Mais le vieil homme n'avait pas encore fini. Sur le ton de la confidence, il enchaîna :

— À ta place, je n'irais pas tout seul dans le bois. C'est dangereux, tu le sais ?

— Non, ce n'est pas dangereux !

« Ça devait arriver un jour, mais pourquoi aujourd'hui ? », pensa Thierry qui allait de déception en déception. « Il ne pourrait pas se mêler de ses affaires, lui ? »

M. Lucien vit le jeune aveugle s'immobiliser et se tourner à nouveau vers lui. Tout son corps trahissait son désappointement.

— Fais pas semblant, petit. Tu sais de quoi je parle.

Le ton de voix condescendant du vieil homme piqua Thierry au vif.

— Qu'est-ce que je sais? répondit-il un peu trop hâtivement, comme pris en faute.

— Tu n'as pas à te sentir coupable, mon jeune. Mais moi, je me demande si je dois me taire.

Ces mots résonnèrent comme une menace pour Thierry.

— De quoi voulez-vous parler?

— Tu es suivi par un chien errant, tout efflanqué. Tu ne le sais peut-être pas, mais il y a des gens qui viennent ici pour y abandonner leur bête.

«Il y a à peine quelques semaines, j'ai vu une auto s'arrêter près du sentier, puis un homme en est sorti. Il tenait un chien en laisse. La bête ne payait pas de mine. Elle boitait. L'homme l'a détachée et l'a poussée vers le bois sans ménagement. Il est remonté en vitesse dans sa voiture et il est parti en trombe.

«Le chien a tenté de le suivre, mais dans l'état où il se trouvait, il a renoncé assez rapidement. C'est cruel, si tu veux mon avis! Je l'ai vu revenir sur ses pas, puis disparaître dans le bois.

«Je l'avais oublié quand ces jours-ci, j'ai crû l'apercevoir avec toi sur ton chemin de retour, après la courbe. Fais attention parce que les chiens peuvent être dangereux quand ils ont été maltraités et laissés à eux-mêmes. Ils redeviennent sauvages. À ta place, je me méfierais.»

Le récit du vieil homme lui étreignit le cœur. Thierry comprit qu'il ne servait à rien de nier. Pour toute réponse, il haussa les épaules, résigné, simulant l'indifférence.

Il fut tenté un moment de lui poser des questions sur la bête et de le prier de ne rien raconter surtout à ses parents, mais il resta muet, persuadé qu'il ne parviendrait qu'à augmenter sa curiosité.

Devinant l'émotion de l'adolescent, Lucien Blouin fut décontenancé. Pendant quelques secondes, le vieil homme et l'adolescent restèrent face à face, sans dire un mot.

«Qu'est-ce qu'un vieux comme moi peut comprendre à un jeune aussi solitaire qui a vécu plein d'affaires terribles», pensa-t-il. Il toussota afin de rompre le silence.

— Tu ne veux pas que tes parents t'interdisent de venir, c'est ça, hein? Si tu me demandes de ne rien dire et que tu me promets d'être prudent, ça me va. Je me sens un peu responsable de toi. C'est peut-être risqué. Je ne voudrais pas avoir ça sur la conscience.

Dans l'esprit du jeune aveugle, la voix de M. Blouin avait pris une couleur plus chaude, mais il ne lui promit rien du tout. Il se retourna et s'engagea résolument sur le sentier.

À la lueur des lumières de la rue, Lucien le vit s'éloigner et bientôt il le perdit de vue.

«En tout cas, il ne manque pas de courage», se dit-il en se dirigeant lentement vers sa demeure.

Thierry arriva à la courbe. La crainte que M. Blouin aille tout raconter à ses parents éteignit le peu d'enthousiasme qu'il lui restait.

Sa volonté de venir en aide à la bête s'en trouva décuplée.

L'adolescent se remit à manger, un vague sourire aux lèvres, attendri par l'image qui s'était formée dans son esprit. Il repassa la scène où pour la première fois, il avait réalisé qu'une bête le suivait.

Pendant une de ses promenades, Thierry, s'étant arrêté pour écouter les bruits de la nature environnante, avait cru entendre un bruit étrange qui n'avait duré que quelques secondes.

L'adolescent avait repris sa marche, l'oreille tendue. Il sentit une sueur froide dans son dos l'envelopper, comme une main glacée appuyée sur ses reins. Il eut le goût de s'enfuir, mais il était loin de chez lui. Le jeune aveugle, rempli de crainte, avança lentement.

À nouveau, il avait entendu derrière lui des pas légers sur la neige. Thierry cessa de marcher pour mieux écouter. Le bruit s'interrompit avec un léger décalage. Il était suivi. Le son venait de l'orée du bois.

Il serra avec force sa canne, mais il se garda de l'agiter de peur de provoquer une réaction violente chez le suiveur. Ce n'était sûrement pas un homme, le son était trop faible. L'adolescent attendit, aux aguets. Puis, il reprit sa route. Le bruit revint. Thierry se retourna brusquement et commanda en haussant la voix :

— Va-t-en ! Déguerpis !

Il entendit un léger crissement dans la neige, un bruit de fuite, bref, trop bref. Puis le silence. La bête inconnue était restée à proximité.

Lentement, sans gestes brusques, le jeune aveugle pivota et, le cœur battant à tout rompre, il avança vers l'animal, en redoublant d'attention.

Se sentant ridicule de parler tout seul, Thierry dit à haute voix :

— Tu es qui toi ? Tu me surveilles, on dirait.

Comme en réponse à sa question, il entendit la bête émettre un bref jappement.

«Un chien !» pensa Thierry à demi rassuré. Il n'entendit plus aucun bruit.

De retour à la maison, il passa sous silence cette rencontre. Il garda pour lui cet incident qui serait probablement sans lendemain.

Quand il fut au lit, Thierry se surprit à penser encore au chien. Qui était-il? Il était triste à l'idée que la bête abandonnée était dehors par ce temps froid.

Après qu'il eut failli être tué au cours de son enlèvement, sa mère lui avait fait promettre de toujours tout lui raconter et Thierry avait accepté.

«Mais là, où est le danger? Ce n'est qu'un hasard. Je ne le rencontrerai peut-être même plus!» conclut Thierry juste avant de s'endormir.

Dès le lendemain, à sa deuxième sortie, l'adolescent avait bourré ses poches de biscuits, les friandises favorites de Lumino. L'absence de ses parents facilitait son entreprise. Mais il l'attendit en vain. Le chien ne se manifesta pas, à sa grande déception.

Thierry remarqua qu'il n'était pas seul dans le sentier. D'autres promeneurs y circulaient, profitant de la température clémente. Il se força à oublier l'incident et l'excitation démesurée qui en était résultée.

Le surlendemain, le froid mordant de la journée ramena avec force l'image du chien. Il devait retourner au sentier.

Il était là. Thierry aurait même parié qu'il l'attendait. Toujours sur ses gardes, le jeune aveugle fit des gestes lents avec sa canne pour ne pas l'effrayer. Il déposa des biscuits sur le sol près du boisé, s'éloigna de quelques pas et attendit en lui parlant tout doucement. Il l'entendit s'approcher, s'emparer furtivement de la nourriture et s'enfuir à toute vitesse.

Heureux d'avoir fait ce simple geste, Thierry lança en souriant :

— T'aurais pu dire merci! Je vais revenir demain et j'aurai d'autres biscuits pour toi.

Sans oublier une seule fois son nouvel ami, Thierry prit l'habitude d'aller au sentier dès son retour de l'école. Philippe et Laurence Roy étaient presque toujours absents à cette heure du jour. Thierry n'avait ainsi aucun compte à rendre.

À chaque rencontre, la distance séparant la bête et le garçon diminuait. Ce dernier déposait lentement la nourriture et reculait de quelques pas. L'attente avant que le chien n'ose s'approcher était, elle aussi, de plus en plus courte.

— D'après ta démarche, tu ne dois pas être gros. Ton maître t'a joué un sale tour, hein?

Puis vint le jour où Thierry, après beaucoup de patience et de persévérance, décida d'aller plus loin. Une idée folle le poursuivait depuis quelque temps. Quand il entendit le chien s'approcher de lui, il mit très lentement sa canne par terre et leva la main, paume face au chien et doigts écartés, se souvenant des leçons qu'il avait apprises avec Lumino. Il ordonna :

— Reste !

Le chien s'exécuta. Thierry, à peine étonné, sut que son instinct ne l'avait pas trompé.

L'adolescent continua son geste. Il descendit sa main vers le sol. Il entendit la bête, docile, se coucher. Thierry, heureux de constater que le courant passait entre eux, se retint de s'exclamer pour ne pas faire fuir le chien.

Il sortit de la poche de son manteau une poignée de nourriture, se pencha lentement et commanda :

— Allez, viens !

Au son, Thierry comprit que le chien était demeuré à plat ventre et rampait vers lui, s'aidant de ses pattes allongées, n'ayant pas reçu l'ordre de se relever.

Attendri par tant de docilité, l'adolescent éprouva pour la bête un élan d'affection comme il n'en avait ressenti que pour son bouvier. Il en fut tout remué. Il lui parla tout doucement.

— Ne sois pas inquiet. Personne ne te fera de mal à cause de moi. Tu auras à manger et nous serons copains, comme ça, de loin. Si tu veux me suivre, c'est à toi de décider. Ce sera notre secret à tous deux.

« Je ne pense pas que papa et maman approuveraient ta venue. »

Perdu dans ses pensées, il fut ramené à la réalité par le chien qui effleura sa main en la chatouillant avec son museau. En vitesse, la bête saisit l'offrande et s'enfonça dans le bois.

— Je m'appelle Thierry! cria-t-il. Et toi, tu seras Ami, comme mon chien en peluche.

Un large sourire illumina le visage de l'adolescent. La main glacée dans son dos avait disparu.

C'était un juste retour des choses. L'adolescent avait le sentiment de payer son dû envers l'espèce qui lui avait déjà sauvé la vie.

Personne ne pourrait lui interdire de porter secours à ce chien.

Il devrait se méfier de M. Blouin. Thierry doutait fortement que le vieil homme réussisse à ne rien raconter, bavard comme il était.

Et comme si tout ça n'était pas suffisant, il y avait eu l'incident avec Étienne, ce matin. En fermant la porte de son casier, Thierry s'était retourné et l'avait interpellé :

— Étienne! Tu vas arrêter de m'approcher comme ça, sans rien dire? Ça fait trois fois que tu le fais! Si tu as besoin de quelque chose, demande-le. Je te mangerai pas. Mais arrête, s'il te plaît, ça m'énerve!

L'étudiant apostrophé de la sorte s'approcha à nouveau d'un pas hésitant.

— Comment tu fais pour me reconnaître?

— J'ai mes trucs.

L'agitation qui régnait jusqu'alors autour d'eux se calma. Quelques curieux avaient ralenti et d'autres s'étaient même arrêtés pour les écouter.

Étienne s'approcha encore plus de Thierry,

qui tournait le dos aux étudiants, intimidé par ces regards indiscrets.

— Reste pas planté là si t'as rien à me dire.

Étienne fut tenté de partir, effarouché par cet accueil peu engageant. Malgré sa gêne, il persista :

— J'aimerais ça te parler un peu.

— J'ai pas le temps. Le cours va commencer.

Étienne s'éloigna, contrarié, en répliquant :

— Je voulais juste jaser, comme ça. Te dire un truc qui t'aurait intéressé. C'est tout !

— Dis-le !

— Non, pas comme ça. Pas devant tout le monde. En plus, tu n'es pas « parlable ».

Étienne fila en vitesse, ne laissant pas le temps à Thierry de répondre.

« Bravo, je m'en souviendrai ! » pensa ce dernier.

La circulation autour de lui reprit son cours normal. Thierry entendit des rires moqueurs, des chuchotements, des soupirs exaspérés. Il les ignora.

Il se dirigea vers sa classe en se reprochant d'avoir été un peu sec. Il savait que c'était la peur qui le faisait agir ainsi. Il sentit dans son dos une onde glaciale, sournoise, comme cela arrivait trop souvent depuis son enlèvement. Cela le rendit encore plus en colère contre lui-même.

« Il ne me parle jamais en classe, puis tout à coup, il voudrait me dire un truc intéressant. Je ne le laisserai pas se payer ma tête. »

Thierry fut tiré brutalement de ses pensées. Deux plateaux venaient d'atterrir bruyamment sur sa table, l'un à sa gauche et l'autre en face de lui. Il se déplaça pour céder la place, soucieux de ne pas attirer l'attention, croyant à une mauvaise farce. Des petits plaisantins s'amusaient parfois à le voir sursauter.

— Salut! On peut s'asseoir? Je suis Roxanne Léveillé, j'ai dix-sept ans, je suis en 5e secondaire, toute l'école me connaît. J'exagère juste un peu. Je m'occupe du «sooocial» étudiant. Lui, c'est Étienne Poisson. Tu le connais, déjà. Voilà, pour les présentations.

Il entendit Étienne qui prenait place à côté de lui. Sans même attendre la réponse, la fille qui venait de lui parler de la sorte s'installa face à lui et lui saisit la main pour la lui serrer. Ce contact si soudain l'agaça. Pourtant la poignée de main était à la fois énergique et douce, nullement agressante.

— T'es pas tanné de faire le sauvage? D'être toujours tout seul?

Sans répondre, Thierry s'empressa de retirer sa main et chercha du bout des doigts le sandwich qu'il avait laissé de côté, entraîné par le tourbillon de ses pensées. Elle le lui mit entre les mains…

«De quoi elle se mêle, celle-là?», pensa-t-il, déconcerté par cette entrée en matière inusitée.

Avec toute la force de sa volonté, Thierry tentait de tenir à distance cette main glacée dans son dos qui rendait ses gestes agressifs.

Sans prêter d'attention à l'émoi qu'elle créait, Roxanne enchaîna :

— Non, mais tu t'es pas entendu ce matin quand tu parlais avec Étienne ! T'aurais pu l'écouter !

« Il est allé se plaindre ? »

Sans le savoir, Roxanne répondit à son interrogation muette.

— Je passais dans le coin et j'ai tout entendu.

Thierry s'enferma dans son mutisme, irrité par le sans-gêne de cette fille qui venait lui faire la morale.

— Qu'est-ce que t'attends pour te mêler aux autres ! Est-ce qu'il faut qu'on te force ? Si c'est ça, compte sur moi pour le faire.

— Fous-moi la paix, tu veux ? Je n'ai rien demandé à personne.

Thierry détesta le son de sa voix, qu'il aurait voulue ferme et indifférente.

— Je sais que tu ne demandes jamais rien. C'est ça, le problème. Je sais aussi qu'on t'en a fait baver, mais la planète entière n'est pas contre toi. Fais confiance un peu. Remue-toi !

— T'en as du culot pour venir me dire quoi faire.

Le jeune aveugle avait élevé la voix, en colère. Comment pouvait-elle prétendre savoir ce qu'il ressentait ?

— Vous vous êtes tous donné le mot, on dirait, pour m'embêter avec votre condescendance.

Thierry se sentait idiot de s'emporter de la sorte, mais il n'y pouvait rien. Roxanne ne répondit pas. Elle le dévisageait, cherchant à comprendre cet excès de colère. Elle regarda autour d'elle et lança d'une voix volontaire à l'intention de toutes ces têtes qui s'étaient tournées vers eux :

— Bon, ça va. On n'a pas besoin d'auditoire.

Malgré lui, il ressentit un élan de gratitude vers cette fille qu'il aurait pourtant voulu voir déguerpir quelques secondes plus tôt.

Un silence embarrassant s'installa entre eux. Ne sachant comment réagir, Thierry fit semblant de se désintéresser de la situation, trop fier pour laisser voir à quel point la tentation de briser sa solitude se faisait pressante. Plus le silence se prolongeait, plus son malaise grandissait. La panique s'empara de lui. Il eut même l'idée de quitter la table, mais il parvint à se contrôler.

Il entendit un soupir d'exaspération, le bruit d'une bouteille qu'on décapsule, l'effervescence de la boisson gazeuse… En d'autres circonstances, le jeune aveugle aurait pu identifier sans hésitation tout ce que contenaient les goûters de Roxane et Étienne simplement par les odeurs et les bruits. Ce midi, il ne sentait qu'une chose : le regard que la jeune fille posait sur lui.

## Chapitre III

*Roxanne*

Roxanne Léveillé ne se laissa pas démonter par cet accueil hostile. Elle fit un petit signe à Étienne qui jusque-là n'avait pas prononcé un seul mot. Elle l'encouragea d'un geste de la tête à parler à Thierry. Hésitant et un peu à contrecœur, Étienne se décida :

— Bien ! C'est Roxanne qui m'a dit de venir à ta table. Moi, je ne voulais pas. T'es pas obligé de m'écouter. Ce matin, je voulais juste parler un peu avec toi, c'est tout. Je te raconterai plus tard, quand tu seras moins...

La jeune fille lui fit de gros yeux, ennuyée par la gaucherie d'Étienne. Ce dernier était contrarié de s'être fait entraîner contre son gré à la table du nouveau, surtout depuis l'accueil qu'il avait eu le matin même.

— Dis ce que tu as à dire ! Je ne t'ai pas empêché de parler, mais j'aime pas qu'on me tourne autour sans rien dire.

— Je pense qu'un porc-épic serait plus accueillant que toi ! Tu te vois pas !

Quand Étienne prononça ces mots, tout son visage s'empourpra.

— Ah, laisse tomber.

Sans rien ajouter, il prit son plateau et quitta la table pour aller rejoindre son copain qui surveillait la scène de loin. De nouveau, le silence s'installa entre le garçon et la fille.

Encore une fois, Roxanne prit les devants. Sans aucune gêne, elle dévoila à Thierry son intérêt pour lui :

— Toujours aussi délicat, Étienne. Oublie-le. Ça fait longtemps que je voulais te parler. C'est vrai que t'es pas facile d'approche. Tu fais jaser. Il y a beaucoup de choses qui circulent à ton sujet. C'est grâce à ma cousine, avec qui j'ai parlé de toi la fin de semaine passée, si je me suis décidée à t'approcher.

Thierry, qui allait d'étonnement en étonnement, leva les sourcils en signe d'interrogation.

Encouragée par ce léger signe d'intérêt, Roxanne porta son corps vers l'avant en appuyant ses coudes sur la table. Elle se pencha pour se rapprocher de Thierry tout en étirant ses jambes qui heurtèrent celles du garçon. Surpris, il les ramena vers lui. Son trouble augmenta.

— Pardon !

Elle continua sur sa lancée.

— Le père du petit ami de ma cousine est aveugle. Il lui a confié à quel point les gens peuvent être idiots avec lui. Tellement qu'il en pleure parfois la nuit.

Thierry se demandait pourquoi elle lui racontait ça.

— Il parait que c'est pire quand vous n'avez pas de chien. C'est bête. Ma cousine m'a remis les idées en place. Elle m'a raconté qu'il y avait des gens qui ne voulaïent pas amener le père de son ami avec eux parce que, disaient-ils, de toute façon il ne voyait rien. C'est là que j'ai compris.

Ce flot de paroles maladroites, dites avec simplicité, fit sourire intérieurement le jeune aveugle. La voix de Roxanne était rassurante. Thierry ressentit un délicieux trouble qui le réchauffa.

Cette fois, Roxanne fut désarmée par le mutisme de Thierry. Elle se demandait si elle avait prononcé quelque chose de blessant. Elle ne capitula pas pour autant. Elle prit une grande respiration et déclara :

— Je vais arrêter de dire des âneries et de tourner autour du pot. Voilà. Il y a un match de hockey très important à l'aréna samedi soir. J'ai pensé profiter de l'occasion pour t'inviter.

Thierry crut avoir mal entendu.

— De quoi ?

— De hockey ! Tu connais ?

Thierry, tiraillé entre la colère et la déception, fut aussitôt sur la défensive.

— Tu veux me niaiser ! Es-tu en train de te moquer de moi ? Je gage qu'en ce moment, tes copines nous regardent et s'amusent à mes dépens.

— Non! Mais non! Pourquoi tu ne viendrais pas?

— Tu veux rire de moi. Ton histoire de cousine, c'est pour me leurrer.

Personne à l'école ne pouvait savoir que le jeune aveugle avait autrefois été trahi et piégé. Il revit Luc qui se prétendait son ami et lui offrait son aide dès la première journée d'école. Ce souvenir encore si présent raviva sa méfiance. Les picotements froids dans son dos réapparurent.

— Ce que tu peux être idiot! Je te dis que non. Tu serais pas sourd, en plus? Malgré sa colère, Roxane insista :

— Je t'assure que tu vas t'amuser. Je te le promets. Je serai la meilleure commentatrice sportive que tu n'auras jamais entendue de ta vie. Je te décrirai tout. Crois-moi, tu ne vas pas t'ennuyer. Promis! Je me fous de ceux qui vont faire la tête en m'entendant crier.

L'offre ainsi formulée fit baisser la garde de l'adolescent. Il y avait quelque chose de si inattendu et de si emballant dans cette proposition que Thierry sentit sa méfiance fondre. Il était séduit. Se joindre à une vraie gang! Cette invitation saugrenue était si tentante. Mais quelque chose le retenait encore :

— Pourquoi tu t'embarrasserais de quelqu'un comme moi? Pour un match important, en plus.

— Écoute! Je suis une vraie débile dans ces occasions-là. Je crie, je saute et je raconte tout ce qui se passe sur la glace. Un moulin à paroles. Allez, dis oui ! Mes copines me connaissent, et il leur arrive d'en faire autant. Si tu viens, je n'aurai qu'à ajouter quelques détails de plus, c'est tout. On va être tous ensemble. C'est l'ambiance qui compte et il va y en avoir, tu peux en être certain.

— Pourquoi tu t'occuperais de moi comme ça ? Je ne veux pas de charité, encore moins de pitié.

Un garçon, assis à la table juste derrière lui, le mit en garde en riant :

— C'est la fille la plus jolie, mais aussi la plus emmerdante de toute l'école si on lui résiste. Une vraie mère Térésa ! Tu connais ? Méfie-toi d'elle. Elle mord quand tu lui dis non.

— Tu la fermes, Antoine, l'interrompit Roxanne, mi-amusée, mi-irritée. Arrête avec tes clichés à la con, tu veux ?

Cette intervention dérangea Thierry.

— Bon, tu veux ou tu veux pas ? Je tords le bras de personne. Si tu préfères rester tout seul, c'est toi que ça regarde. Moi, ça me plairait que tu viennes voir le match. C'est tout. Je t'accepte comme tu es, alors il va falloir que tu m'acceptes, moi aussi, comme je suis : une fille qui bouge et qui n'aime pas voir quelqu'un tout seul. Point.

Roxanne avait parlé avec tant de spontanéité que Thierry se laissa fléchir, heureux de l'attention qu'on lui portait soudainement.

— Je veux bien. Mais il y a mes parents. Depuis quelque temps, ils se méfient de tout le monde.

— Chouette ! Pour tes parents, tu leur en parles dès ce soir. Dis-leur, pour les rassurer, que je vais me présenter à eux avec mon curriculum vitae, le numéro de mon cellulaire, s'il le faut. Ils ne peuvent pas dire non. Je t'appelle demain dans l'avant-midi et si c'est O.K., je passe te prendre à dix-neuf heures.

— On s'y rend comment ?

— J'ai une auto neuve depuis Noël. Une petite Coccinelle jaune, hyper chouette. Je vais aller te chercher. Tu habites dans quel quartier ?

Lorsqu'il lui donna son adresse, la jeune fille s'exclama :

— Ce n'est pas loin de chez moi ! Tu ne demeurerais pas dans le bout de Lucien Blouin ?

— Oui. Tu le connais ?

— Tout le quartier le connaît. C'est la pire belette qui soit. Alors, c'est oui ?

— Ça me tente.

Thierry ne vit pas le sourire radieux qui illumina le visage de Roxanne. Si radieux…

❧ ❧

— Demain soir ! Mais pourquoi as-tu accepté avant de nous en parler ?

— Maman, je t'en parle maintenant. J'aimerais ça y aller !

Thierry aurait souhaité retrouver les mots qui l'avaient convaincu. Il était incapable de s'expliquer, surtout que lui-même ne parvenait pas à identifier ce qui le bouleversait de la sorte. Depuis son enlèvement, la moindre demande provoquait des discussions avec sa mère et tout devenait compliqué.

Laurence, méfiante, s'opposa à cette sortie avec les mêmes arguments qu'il avait servis à Roxanne. Amer, il sentit son enthousiasme se refroidir.

Et si on s'était moqué de lui ?

— Pourquoi cet intérêt soudain pour toi ?

Thierry repensa au regard qu'il avait senti sur lui et à l'émoi qu'il avait éprouvé au contact de la main et des jambes de la jeune fille. Des pensées qu'il garda pour lui.

— C'est possible que ce soit pour rien, comme ça, non ? Tout simplement parce qu'elle en a envie. Je n'arriverai jamais à me faire des amis si je dis non à tout le monde. C'est la première fois depuis trois mois que quelqu'un m'invite. Je suis toujours tout seul la fin de semaine.

— Nous sommes là.

— …

— Elle a dix-sept ans, elle a une auto et elle est en 5ᵉ secondaire…

— Arrête, tu veux. Pour une fois !

Comme quelqu'un qui récite une leçon, Thierry enchaîna :

— Oui, je le sais. Elle a dix-sept ans, j'en ai quinze et je suis seulement en 2ᵉ secondaire. Avec tous nos déménagements, ce n'est pas étonnant, non ? Et… et je suis aveugle et… et…

Le ton de sa voix avait fléchi. Ses propres paroles lui révélaient le ridicule des pensées qui avaient germé dans sa tête. Il revint à la réalité : une simple invitation pour un match de hockey dans un aréna. Rien de plus.

— Je veux y aller, c'est tout ! Je ne suis jamais entré dans un aréna.

— Je t'y emmènerai aussitôt que j'aurai le temps. Il y aura d'autres matchs.

Thierry laissa entendre un long soupir.

— On en parlera à ton père, ce soir.

— Si je comprends bien, je n'aurai pas ton appui.

— Chéri, on ne sait rien d'elle. Invite-la plutôt à venir veiller à la maison. Elle est sûrement très sympathique.

— Ah, maman ! Franchement ! Une partie très importante de hockey contre une charmante, niaiseuse, petite soirée au salon ! Sérieux, c'est toi qui veux rire de moi ?

À l'insu de Thierry, Laurence téléphona au centre sportif de la ville pour qu'on lui confirme la tenue de cette joute décisive.

— Et pourquoi pas ? Je pense que c'est une excellente idée, avait décrété Philippe Roy au retour de l'hôpital en entendant, la porte à peine franchie, la requête de son fils. Je trouve que, pour une première approche, cette jeune personne fait montre d'imagination. Si tu veux, j'irai vous reconduire. Ta mère sera moins inquiète.

Avant que Thierry n'ait le temps de répondre, Laurence précisa :

— Cette jeune personne, comme tu dis, veut passer le prendre dans sa propre voiture.

Un sourire apparut sur le visage de Philippe. Il regarda attentivement son fils qui devenait un homme. Il décela chez Thierry un malaise qui en disait long sur les pensées de son fils.

Le sommeil cette nuit-là se fit attendre pour l'adolescent, fébrile à l'idée que le lendemain il serait avec Roxanne et ses amies.

Lorsque Thierry s'endormit enfin, ses rêves furent calmes. Il parvint à refouler, dans un coin de son esprit, l'image torturante d'une amitié bafouée et des menaces qui pesaient sur lui.

# Chapitre IV

*Dans la foule*

À dix-neuf heures précises, on sonnait à la porte des Roy. Ponctuelle, Roxanne Léveillé fit bonne impression lorsqu'elle se présenta aux parents de Thierry. Ce dernier aurait voulu disparaître lorsque Laurence et Philippe entreprirent de soumettre la jeune fille à un véritable interrogatoire.

Bouillant d'impatience, il les força à mettre fin à leur investigation.

— On doit partir. On va être en retard.

Au moment de partir, Philippe murmura à l'oreille de son fils :

— Elle est très jolie…

En route vers l'aréna, Roxanne, percevant l'embarras de Thierry, tenta de le calmer :

— Allez, relaxe. Je pense que les parents du monde entier font la même chose. Ce n'est pas grave pour vu que toi, tu ne regrettes pas d'avoir accepté mon invitation ?

— Non !

Thierry n'ajouta rien de peur de trahir son excitation. D'être enfin seul avec Roxanne, qui semblait aussi heureuse que lui, le rassura. Tout paraissait facile avec elle. Il souhaitait que le trajet s'éternise. Il respira profondément pour se calmer, mais en vain. Le doux parfum de la jeune femme qui imprégnait l'air lui chamboula l'esprit.

— C'est la première fois que tu assisteras à un match de hockey dans un aréna?

— Oui.

Roxanne lui fit une description précise de l'endroit, devinant que les gradins exigeraient de lui une attention particulière.

Lorsqu'ils arrivèrent, Roxanne sortit rapidement, contourna le véhicule et alla ouvrir la portière. Reconnaissant son inexpérience, elle lui dit :

— Nous sommes arrivés. Ça t'embêterait si je t'offrais mon bras? Ou alors est-ce moi qui prends le tien?

— Je préfère prendre ton bras. Je ne me servirai pas de ma canne, je ne veux pas heurter quelqu'un.

— D'accord, on y va. Tu es très doué, je t'ai vu à l'école. Tu te débrouilles très bien. C'est débile comment tu peux aller vite. J'ai même eu parfois l'impression que les attentions des profs t'embêtaient. Pourquoi tu ne leur dis pas?

— J'ai essayé!

Sentant son épaule contre la sienne, il constata qu'elle était de la même grandeur que lui. Cette observation l'enchanta.

Lorsqu'ils entrèrent, les joueurs faisaient le tour de la patinoire après avoir été présentés à l'assistance. La foule les saluait dans un vacarme joyeux qui surprit Thierry. Roxanne lui chuchota quelques mots. Ses lèvres effleurèrent son oreille.

— L'aréna est comble. Moi aussi souvent je sursaute. Il y a beaucoup de monde pour une joute locale! On arrive juste à temps.

Le léger contact de ses lèvres le fit frissonner. Il s'empressa de faire porter la faute à l'air ambiant.

— Il fait froid.

La jeune fille regarda vers la patinoire et murmura :

— J'en connais un qui ne sera pas content de ne pas m'avoir aperçu le saluer avec les autres.

Thierry n'eut pas le loisir de réfléchir à la signification de ces mots. Il devait se concentrer pour atteindre leur siège au moment où des cris à la limite de l'hystérie accueillaient leur arrivée.

Plusieurs visages se tournèrent vers eux.

— ROXANNE! ROXANNE! ON EST ICI! ICI!

— ON VOUS A GARDÉ UNE PLACE! ROXANNE!

— ENFIN! ÇA FAIT LONGTEMPS QU'ON T'ATTEND!

Amusée, Roxane vit ses amies faire de grands signes de la main pour l'inciter à les rejoindre. Elle remarqua que certaines d'entre elles avaient le pouce levé en signe de victoire. Elles étaient au courant de la démarche de leur amie. Ainsi elle avait réussi à amener le nouveau! Il n'y avait qu'elle pour y parvenir.

Avec précaution, Roxanne guida Thierry qui devait s'en remettre à elle. Elle l'entraînait d'un gradin à l'autre, impressionnée par la rapidité avec laquelle Thierry réagissait à tout ce qu'elle lui demandait.

— Excusez-moi. Pardon. Vous pouvez nous laisser passer? Pardon! Merci! Excusez-moi!

Un seul spectateur prit tout son temps avant de répondre à sa requête. Les pieds appuyés sur le dossier du siège devant lui, les bras croisés, il avait la tête inclinée et le capuchon de son manteau sport lui descendait jusqu'aux yeux. Roxanne crut un court instant qu'il dormait. Elle refit sa demande en haussant la voix :

— Hé! Oh! On voudrait passer!

Elle dut le pousser légèrement de la main pour le faire réagir.

Le jeune homme ramena lentement ses jambes sous lui et se cala au fond de son siège, levant à peine la tête.

— Ouais, ça va! Y a pas le feu!

Cette voix… Troublé, Thierry tourna son visage en direction du jeune homme. Il avait cru reconnaître cette voix, mais l'impression fugace fut chassée par la turbulence de la foule

— C'est pas trop tôt!

Pas du tout intimidée par cet impoli de la pire espèce, Roxanne continua d'avancer parmi les spectateurs, demandant même à plusieurs de se lever pour leur faciliter le passage. Thierry sentait le rouge lui monter aux joues. Même si la détermination de la jeune fille l'aidait, Thierry aurait préféré que l'attention des partisans des équipes de hockey soit tournée vers la patinoire.

Enfin, ils atteignirent leur banc.

La partie était sur le point de commencer. Roxanne porta immédiatement son intérêt sur la patinoire :

— GO! GO! LES GARS! ON EST LÀ.

Un joueur sur la glace tournoya sur lui-même et leva son bâton dans sa direction. Il avait reconnu sa voix. Quand leurs yeux se croisèrent, il lui fit un sourire éclatant. Une seconde suffit à Roxanne pour remarquer le coup d'œil furtif qu'il jeta à Thierry. Le patineur et la jeune fille se saluèrent de la tête. Puis, content d'avoir aperçu celle qu'il attendait, le joueur retourna dans la mêlée.

Cette complicité ne pouvait pas échapper aux amies de la jeune fille. L'une d'elles lui glissa à l'oreille :

— Il te cherchait du regard depuis un moment, ton beau Clovis.

En dépit de la cohue, Thierry entendit la confidence.

— Tu as des admirateurs?

— Si on veut.

L'humeur de Thierry se refroidit. Mais il fut bientôt emporté par l'excitation générale. Il se concentra sur les descriptions que Roxanne ne manquait pas de lui faire. Grâce à l'abondance de ses commentaires, il sentit qu'il participait au jeu.

La jeune fille remarqua que des têtes se tournaient vers eux, certaines avec amusement, mais d'autres, moins nombreuses, avec agacement. Elle s'appliqua à les ignorer.

Trois gradins plus bas, l'individu qui les avait laissés passer de mauvaise grâce se tournait sans cesse vers eux, ne se gênant pas pour afficher son irritation. S'il croyait l'intimider…, il ne la connaissait vraiment pas. Elle s'en contrefoutait!

Entre deux périodes, Roxanne offrit à Thierry d'aller lui chercher à manger, mais il refusa. Elle resta assise à discuter avec lui.

Elle apprit au jeune homme qu'elle demeurait à trois rues à peine de chez lui et l'invita même à venir chez elle. Elle lui fit une description imagée de Lucien Blouin, connu de tous, le décrivant comme un personnage qu'il devait éviter s'il voulait garder quelques secrets. Cette remarque fit sourire Thierry. Il le savait déjà trop bien.

Elle lui raconta qu'elle aimait par-dessus tout s'occuper des activités sociales de l'école, qu'elle participait activement au journal étudiant – elle voulait se diriger dans les communications – et lui parla des choses excitantes qu'elle aimait faire. La conversation s'animait. Il adorait le son de sa voix.

Il sembla à Thierry n'avoir en comparaison rien de passionnant à raconter. Il écoutait sans rien dire, conscient de ne pas être très rigolo. Il aurait aimé dire des choses «hot», mais il n'avait en tête que ses histoires dramatiques.

C'est alors qu'il pensa au chien errant qu'il avait rencontré dans le sentier et qu'il tentait d'apprivoiser.

Il se laissa aller à la confidence.

Pour la première fois, le jeune aveugle employa les mots qui habitaient sa réalité de non-voyant, enveloppant toute la scène de noirceur, la rendant inquiétante. Des oreilles s'étaient tendues vers lui et le silence se fit. Le danger et le mystère qu'il évoqua firent frémir les plus sensibles tout autour. L'adolescent était ravi de capter ainsi l'attention. Sa voix était légèrement plus élevée qu'à l'habitude.

— Je crois qu'il m'aime et je m'attache beaucoup à ce chien, conclut-il.

Captivée par son récit, Roxanne lui posa une question à laquelle le jeune aveugle ne s'attendait pas :

— Il te manque beaucoup ton chien-guide?

Thierry approuva d'un léger signe de la tête. Après la pause, la partie reprit.

Au cours de la troisième période, le match gagna en intérêt. La foule hurlait, chahutait, soulevée par la performance des joueurs. Le jeu était serré. Avec un seul but d'écart, un revirement était toujours possible. Personne ne pouvait se permettre le moindre relâchement. Les joueurs se défonçaient pour assurer la victoire à leur équipe : rien n'était gagné.

Les décibels grimpaient en flèche. L'assistance se leva. Le compte à rebours avait commencé. La commentatrice improvisée, poussant sa voix à la limite du tolérable, se déchaîna :

— Clovis s'empare de la rondelle, fait une montée spectaculaire vers le but adverse, tricote, se faufile entre les deux défenseurs qui viennent de fondre sur lui. GO! GO! LE GARDIEN S'AVANCE VERS LUI, UN PEU TROP… (À MON AVIS), CLOVIS FAIT UN GESTE VERS LA GAUCHE QUI TROMPE LE GARDIEN…. ET… ET…. C'EST LE… BUUUUUT!!!

La détonation qui souligna le but ébranla l'aréna et fit tressaillir toute l'assistance. L'équipe locale venait de remporter la partie. Elle participerait aux éliminatoires. La foule scanda le nom du marqueur du but gagnant : Clovis! Clovis! Clovis!

Au son de la sirène annonçant la fin du match, l'équipe entière sauta sur la glace pour entourer son capitaine, Clovis.

Dans un élan spontané, Roxanne, survoltée, portée par l'euphorie du moment, se tourna vers Thierry qui était tout aussi excité. Ils se firent l'accolade, en sautillant de joie. Il se laissa envahir par l'émotion de la jeune fille qui, le plus simplement du monde, l'embrassa avec ardeur sur les deux joues.

Jamais il ne s'était senti aussi bien. Elle avait la peau douce, elle sentait merveilleusement bon, la chaleur qui irradiait de son corps était attirante. Il aurait pu écouter sa voix toute la nuit, même pour l'entendre décrire une simple joute de hockey, s'avoua-t-il en souriant. Troublé, Thierry arrêta brusquement le dérapage de ses pensées. « Qu'est-ce qui me prend ? », se demanda-t-il, remué par l'émoi qui l'avait envahi.

Entouré par ses coéquipiers sur la glace et acclamé par la foule, Clovis leva les bras en l'air. C'est alors qu'il les vit, l'un et l'autre se tenant par la taille. Il détourna vivement son regard. Il reporta son attention sur ce qui se déroulait sur la patinoire, mais sa pensée resta fixée sur Roxanne et ce nouveau venu.

La jeune femme prolongea son étreinte quelques secondes. Puis elle s'éloigna promptement.

— Quelle partie ! dit-elle, heureuse que Thierry ne voie pas le rouge qui lui montait au visage.

Pour toute réponse, Thierry se tourna vers la patinoire.

Roxanne chercha Clovis du regard. Ce dernier était porté en triomphe par ses coéquipiers.

Dans l'assistance, les félicitations fusaient de toutes parts.

Pour la première fois de toute de sa vie de non-voyant, la foule ne lui inspirait aucune crainte, aucune sensation d'étouffement, et cela grâce à Roxanne. Il était incapable de comprendre ce qu'il ressentait à ce moment, mais il savait que jamais il n'oublierait ce qu'elle venait de faire pour lui.

La foule était encore agitée. Les spectateurs se bousculaient amicalement en se dirigeant vers les sorties.

— Préfères-tu attendre dans l'aréna que la foule soit sortie?

Thierry acquiesça de la tête. Roxanne lui demanda alors :

— Tu es d'accord pour qu'on aille fêter au resto? La gang se retrouve dans le meilleur restaurant en ville. Il appartient aux parents de Clovis.

— Le capitaine de l'équipe?

— Oui.

— Tu as l'air à bien le connaître? lui demanda-t-il, en feignant l'indifférence, sans grand succès.

— Normal. Je le connais depuis le secondaire un! Et puis on vit ensemble depuis Noël.

Roxanne le dévisagea.

— Surpris? Ça n'a pas été simple avec mes parents, tu sais. Clovis est un gars super actif. En plus d'être capitaine de son équipe, il étudie en administration et il travaille souvent au restaurant. On se débrouille très bien.

L'adolescent se sentit bête d'avoir imaginé, ne fût-ce qu'une seconde, qu'une fille comme Roxanne pouvait être seule! Son humeur changea. Il se sentait humilié d'avoir pensé qu'elle aurait pu s'intéresser à lui.

L'invitation au restaurant perdait de son intérêt.

— J'aimerais mieux rentrer à la maison. Mes parents vont s'inquiéter. C'est rare qu'ils me laissent sortir aussi tard.

— Comme tu veux.

Roxanne se tourna vers les spectateurs qui lui tendaient la main à leur passage. Il y en eut même qui la félicitèrent pour le dynamisme de sa description du match.

L'aréna était maintenant presque vide lorsqu'une voix retentit, en écho. Clovis venait de faire son apparition. Il était prêt à partir.

— ROXANNE! VIENS!

Il enjamba les gradins pour la rejoindre. Sans prêter attention au garçon qui accompagnait son amie, Clovis exprima son impatience.

— Qu'est-ce que tu fais? Nous serons les derniers arrivés au resto. Toute mon équipe y va.

De la tête, Roxanne lui désigna Thierry. L'expression de ses yeux lui fit comprendre sa maladresse. À la surprise du jeune aveugle, Clovis vint s'asseoir près de lui et, sans préambule, lui passa un bras autour des épaules tout en le serrant. Il s'exclama d'une voix amicale :

— Salut ! Thierry Roy, n'est-ce pas ? Ma belle Roxanne m'a parlé de toi. Ses amis sont mes amis. On fera plus ample connaissance au resto. Allez, venez.

Même si son geste fut cordial, il rappelait à Thierry, par sa force, un des pires souvenirs liés à son enlèvement. Son réflexe de méfiance revint. Des picotements de froid lui parcoururent le dos.

Brusquement, l'adolescent s'écarta de Clovis en glissant sur le côté opposé du banc. Il se retint de lui crier de ne pas le toucher. Frustré par cet accueil qu'il jugea sauvage, Clovis changea de ton.

— Oh ! Excusez ! Tu as l'air d'aimer mieux…

Roxanne s'empressa d'intervenir.

— Clovis, je vais le reconduire chez lui et je te rejoins.

La réaction ne se fit pas attendre. La voix de Clovis était devenue suppliante.

— Non ! Ne me fais pas ça, Roxi. Nous allons faire notre entrée tous les trois ensemble. Toi, moi et notre nouvel ami. Sinon, je n'y vais pas du tout. Tu ne me ferais pas ça, n'est-ce pas ?

Thierry ne put s'empêcher de trouver cette supplication exagérée.

Il crut que la jeune femme céderait et qu'elle chercherait à le convaincre de se joindre à eux. Au contraire, elle maintint fermement sa décision.

— Clovis, je sais que c'est important pour toi, mais je dois reconduire Thierry. Je reviendrai bientôt.

Les mouvements que Thierry entendit près de lui l'avertirent de l'état d'impatience et d'irritation du jeune homme. Étonné par la tournure de la discussion et se sentant la cause de leur différend, Thierry changea d'idée. Il accepta l'invitation au resto. Il ne voulait pas que Roxanne soit mal à l'aise. Et à bien y penser, il trouvait que Clovis avait raison. C'était sa soirée. Il aurait été égoïste de la lui faire manquer. De plus, l'invitation formulée par Clovis plaisait au jeune aveugle. Le héros de la soirée n'avait pas honte de se montrer avec un gars comme lui. Il refoula la déception de savoir que Roxanne avait un ami de cœur. Au moins, se dit-il, il venait de gagner des amis.

— Je dois appeler mes parents pour les avertir que je reste avec vous.

Roxanne sourit, heureuse de sa décision.

— Certain? Tu me fais plaisir, dit-elle en le voyant approuver de la tête.

Clovis fixa Thierry intensément, en fronçant les sourcils. Il secoua légèrement la tête afin de chasser l'idée qui germait dans son esprit. Retrouvant tout son entrain, il lança :

— Ça, c'est un chum! C'est extra! Je peux te serrer la main sans danger?

Le ton n'avait rien de sarcastique. Un peu mal à l'aise, Thierry acquiesça en souriant. Tout en lui prenant la main, Clovis attira Roxanne par la taille et déclara sous les regards curieux des derniers retardataires dans l'aréna :

— Thierry, je suis content que tu te joignes à nous. Tu viens de te mériter une alliée redoutable. Quand Roxanne se…

— Oui. Oui, je sais. Elle mord quand on lui dit non.

Clovis et la jeune femme restèrent sans voix, puis ils éclatèrent d'un fou rire communicatif. Quand ils se furent calmés, ils se dirigèrent tous ensemble vers le hall d'entrée. Juste au moment de sortir, Thierry leur rappela :

— Je dois téléphoner.

Par chance, ce fut Philippe qui répondit.

Devinant ce qui se passait, Laurence fit signe qu'elle n'était pas d'accord, mais Philippe ignora son intervention. Lorsqu'il eut raccroché, elle manifesta son mécontentement :

— Pourquoi as-tu accepté? Dix heures trente, c'est assez tard, il me semble. Il a dit où il allait.

— Oui, au restaurant, fêter avec l'équipe gagnante. J'ai senti dans sa voix qu'il était content.

Moi, ça me plait. Je trouve louable cet effort qu'il fait ces jours-ci pour se mêler aux autres. Enfin! À part l'étrange carte de fête qu'il a reçue et qui, soit dit en passant, est entre les mains de la police, tout est calme. La vie doit reprendre son cours normal. Encourageons-le.

La jeune femme alla prendre place près de son mari.

— Oui, tu as raison. C'est plus fort que moi, je me fais toujours du mauvais sang.

# Chapitre V

*Un spectateur intéressé*

À la fin du match, un spectateur était sorti furieux de l'aréna. Sa colère n'avait été provoquée ni par le jeu sur la patinoire ni par le bruit assourdissant dans les estrades. Au contraire, il adorait les sports et l'ambiance qui régnait lors de ces rencontres. Il connaissait même les noms de tous les joueurs de la ligue de hockey.

Il avait rencontré Clovis Gagnon à plusieurs reprises pour le féliciter et ils étaient devenus copains.

À une certaine époque, ils se rencontraient souvent pour parler de sport. Misant sur leur complicité, le jeune homme avait même convaincu Clovis de prendre un peu de cocaïne avec lui. Ils avaient partagé la drogue ensemble à quelques reprises tout en parlant de hockey, leur passion commune.

Mais Clovis Gagnon lui avait rapidement fait savoir qu'il n'était plus intéressé à consommer, qu'il aimait se défoncer, mais dans le sport et non dans la drogue. Il lui avait clairement exprimé qu'ils n'étaient pas du même acabit et que la coke n'était pas pour lui. Son copain s'en était offusqué, non parce que Clovis refusait de prendre de la drogue, mais parce qu'il était lui-même incapable d'en faire autant.

Gagnon lui avait fait promettre que cela resterait entre eux. Pour lui, c'était du passé. Personne ne devait être au courant de ses petits écarts.

Le jeune homme avait peu à peu cessé de le fréquenter, irrité de s'être fait remettre à sa place. Mais il avait tenu parole et il n'avait rien dévoilé.

Bien malgré lui, il admirait la force de caractère du capitaine, son jeu et son habileté à motiver tout son monde par l'ardeur qu'il déployait sans l'aide d'aucune substance. Clovis était un meneur né, et un costaud tout comme lui.

La joute était sur le point de commencer. Tout allait bien. Puis, des appels hystériques avaient retenti dans l'aréna. Comme plusieurs, il avait levé la tête, curieux de voir l'arrivée de la belle Roxanne que ses amies appelaient à grands cris. Il connaissait la petite amie du capitaine, une fille au charme irrésistible.

Le jeune homme ricana, amusé par la situation. Son sourire se figea lorsqu'il vit le duo s'approcher. Précipitamment, il baissa la tête pour ne pas être reconnu et il ne bougea plus. De toute façon, la jeune fille ne le connaissait pas assez pour pouvoir l'identifier avec sa nouvelle barbe et ses kilos en moins.

Sa soirée était gâchée.

«Qu'est-ce qu'il vient foutre ici, le merdeux? Ce n'est pas la place des infirmes! Je savais que je le retrouverais un jour, mais pas icitte.»

Son sang ne fit qu'un tour. Il se retint de quitter les lieux sur-le-champ.

Bien que le coût d'entrée soit minime, il avait dû en tenir compte dans son budget. Depuis quelques semaines, son père avait coupé dans son allocation. Tout ça à cause d'un malheureux séjour en prison pour une petite histoire de drogue. Il savait que ses parents avaient dû débourser une lourde caution pour qu'il retrouve sa liberté.

Pourtant, croyant que son rythme de vie n'en serait pas affecté, il n'y avait accordé aucune attention, jusqu'au jour où il réalisa qu'il devait ralentir sérieusement ses activités.

Convaincu qu'un simple coup de fil réglerait ce problème comptable, il déchanta vite en entendant le discours de son père.

«C'est trop! Ça m'a déjà coûté les yeux de la tête, tes niaiseries. C'est grâce à ta mère si tu reçois encore un peu d'argent de nous. Si tu veux terminer tes études en éducation physique à l'université, tu devras t'organiser avec cette allocation. De plus, j'exige que tu viennes dorénavant chercher ton chèque à la maison. Comme ça, je pourrai savoir si tu as recommencé tes conneries de commerce de drogue. Je me suis bien fait comprendre?

C'est la deuxième fois que je paie pour te tirer d'affaire. C'est fini. Tu te débrouilles pour vivre avec le montant d'argent qu'on te donne. Point final.»

Le jeune homme fut tenté d'envoyer promener son père, mais il se retint, sachant qu'il ne pouvait se permettre de nouvelles coupures dans son budget.

Cette sale histoire avait amené Éric Moisan à abandonner ses cours, alors qu'il en était à son dernier semestre. Il se promit de terminer ses études au retour des jours meilleurs. Sa mère intercéderait sûrement pour lui auprès de son père. Pour l'instant, il n'était pas question de retourner dans le giron familial.

Depuis trois mois, il maudissait ceux qu'il rendait responsables de sa mauvaise fortune.

Maxime Thériault méritait ce qui lui arrivait. Tout était de sa faute. Il n'y avait que la prison pour des gars comme lui. Un salaud qui ne tenait compte de personne, qui se croyait au-dessus de tout le monde. Il les avait entraînés, lui et ses copains, alors qu'ils ne voulaient que rigoler et se faire un peu d'argent, dans une combine qui ne tenait pas debout. Une histoire de pédophilie.

Thierry Roy. C'était lui qui avait tout fichu en l'air. Il les avait dénoncés tous les quatre. Il ne l'avait plus revu depuis le procès.

Il s'était promis de le retrouver, et cela, malgré l'interdiction de la cour de j'approcher. Il trouverait bien le moyen de faire payer ce morveux de quatorze ans qui les avait fait passer, lui et ses potes, pour des minables aux yeux de tous.

Ce soir-là, Éric Moisan avait besoin de voir un bon match de hockey pour oublier ses déboires. Il avait le moral à zéro. C'est alors qu'il vit apparaître Thierry. Tout le fiel accumulé au fil des semaines lui monta à la gorge, à lui en donner la nausée. Malgré tout, il eut le goût de rire.

«Te voilà enfin! Pas très loin, le déménagement. Un vrai cadeau!»

Un bref instant, il s'était cru victime d'une hallucination. Dans un aréna, le dernier endroit au monde où il aurait pensé rencontrer le jeune aveugle, Éric le regarda s'approcher, comme si le destin le lui offrait sur un plateau d'argent.

«Je serai plus tout seul à manger de la vache enragée. J'vais la partager avec toi. Je ne sais pas comment, mais tu vas en manger toi aussi.»

Durant toute la partie, il ne parvint pas à se concentrer sur ce qui se passait sur la patinoire. Les cris débiles de la jeune fille – qui ne le faisaient plus rire du tout – l'irritaient de plus en plus. À cause de Thierry, même Roxanne le dérangeait. Toujours lui.

Éric porta à peine attention au jeu, trop absorbé par le flot des idées qui germaient en lui. Il resta vissé à son siège, même entre les périodes, faisant semblant de dormir pour mieux écouter les conversations.

Tout en prêtant l'oreille à tout ce qui se disait, Éric Moisan échafauda un plan. Avant même d'entendre la sirène qui annonçait la fin de la partie, il quitta son banc et sortit. Il n'était plus capable d'en supporter davantage.

En route vers chez lui, il se ravisa. Toujours aussi impulsif, Éric changea de direction et se dirigea vers le restaurant où tout ce beau monde devait se rejoindre.

Au restaurant, les partisans de l'équipe de hockey s'en donnaient à cœur joie.

Une salle avait été réservée spécialement pour eux. Les parents de Clovis lui avaient permis d'inviter qui il voulait pour fêter la victoire.

L'entrée du capitaine de l'équipe souleva des vagues de hourras.

Après avoir serré toutes les mains qui se tendaient, Clovis, enfin parvenu à sa table, prit la parole :

— À notre victoire ! À notre équipe gagnante. À mon but victorieux ! Bravo ! Je lève mon verre… d'eau ! Demain, on a un entraînement, ne l'oubliez pas.

Des éclats de rire saluèrent son bref discours et on porta un toast en clamant :

— À Clovis ! Le meilleur des capitaines de la ligue !

Le jeune homme partageait leur hilarité. Il fit mine de s'asseoir, puis se releva rapidement.

— À Roxanne! C'est pour elle et pour vous tous, mes amis, que je fais tous ces efforts. À ROXANNE!

— À ROXANNE! À CLOVIS!

La jeune fille se leva. Il lui donna un baiser enflammé sous les applaudissements et les sifflements des partisans.

Thierry participait à l'ovation, séduit par le charisme du couple.

«Roxanne mérite toutes les attentions du monde», s'avoua-t-il.

Il pouvait très bien comprendre qu'elle puisse être amoureuse d'un gars comme Clovis, plein de vie, en possession de tous ses moyens, capitaine d'une équipe gagnante, entouré et adulé de tous.

Ne tenant pas en place, Clovis Gagnon allait de table en table parler avec les uns, serrer la main des autres. Roxanne resta auprès de Thierry. Elle lui donnait des informations sur ce qui se déroulait autour d'eux tout en conversant avec ses amies aux tables avoisinantes.

Pendant un moment, la jeune fille perdit de vue Clovis. Lorsqu'elle l'aperçut à nouveau, il parlait avec animation à quelqu'un dont elle ne voyait pas le visage.

Malgré tout, Roxanne reconnut à son allure l'effronté qui leur avait bloqué le passage à l'aréna alors qu'ils se rendaient à leur siège.

Elle aurait juré que leur échange ne concernait pas seulement le match, car plus d'une fois elle vit Clovis lui jeter un coup d'oeil puis ramener son regard sur l'individu en éclatant de rire. Chaque fois que leurs yeux se croisaient, il lui souriait. Son regard ne se porta sur Thierry qu'une seule fois.

S'il était ici pour se plaindre qu'elle avait trop crié, ce gars pouvait aller se faire voir ailleurs. Clovis semblait s'amuser, mais elle savait qu'il était capable mieux que quiconque de contrôler ses réactions en public. Elle saurait bien assez vite, il lui raconterait tout.

La jeune femme fut tentée de raconter à Thierry ce qui se passait, mais elle préféra se taire. Elle jugea cette situation délicate, car c'était pour lui qu'elle s'était laissée aller de la sorte. Ce grand barbu maigre et insolent près de Clovis ne méritait pas que l'on perde du temps à parler de lui.

Elle reporta son attention vers d'autres tables, mais la curiosité ramena son regard vers les deux hommes, juste à temps pour voir Clovis donner une grande claque dans le dos de l'individu. Elle fut agacée par ce geste amical, pourtant fréquent de la part de Clovis.

❧ ❧

Clovis n'en crut pas ses yeux quand il reconnut avec peine Éric Moisan.

En vitesse, ce dernier l'attira vers un coin tranquille du restaurant, tournant le dos à la table où se trouvait Roxanne. Gagnon le dévisagea.

— Éric? Ça fait longtemps que je t'ai vu.

— Oui, c'est moi.

— Ouais. La barbe…

Baissant la voix, Clovis s'informa.

— Les affaires vont si mal que ça?

— Un régime forcé. C'est rien. Je suis venu pour te féliciter.

— Toujours amateur de hockey?

— Oui. Les choses ont changé pour toi aussi, on dirait?

— Pourquoi tu dis ça? Non.

— Sors-tu toujours avec Roxanne Léveillé?

— Certain. Plus que jamais. On vit même ensemble.

— Je trouvais ça bizarre aussi… J'ai eu l'impression que Roxanne était en tête à tête avec un autre gars. Tu devrais être sur tes gardes.

Le visage de Clovis devint tout rouge.

— Sur mes gardes?

Clovis regarda autour de lui et sourit à Roxanne qui l'observait de l'autre côté de la salle. Gêné par l'attitude théâtrale de son interlocuteur, Clovis fut tenté de couper court à la conversation, mais sa curiosité l'emporta.

— En garde contre quoi, contre qui? Pas contre toi?

Il laissa éclater un rire moqueur.

— Non… J'ai changé physiquement, mais je suis le même. C'est par amitié que je viens t'avertir.

Clovis le dévisagea, essayant de comprendre.

Baissant la voix, le jeune homme lui demanda :

— La belle Roxanne ! Toujours aussi fou d'elle ?

Tout le monde savait que Gagnon était jaloux en amour. Éric avait bien l'intention de profiter de cette faiblesse.

Comme quelqu'un qui s'apprête à livrer bataille, Clovis écarta ses jambes pour assurer sa solidité et fixa son interlocuteur droit dans les yeux. Il était sur la défensive, mais il réussit à garder un visage souriant.

— Qu'est-ce que Roxanne vient faire là dedans ? dit-il en serrant les dents. Arrête tes histoires ! Si tu viens ici pour saboter ma soirée, tu perds ton temps. Tu n'es pas le bienvenu. Je ne suis pas d'humeur, ce soir.

— J'ai pensé que ça pourrait t'intéresser de savoir ce que j'ai vu durant le match.

Il fit un léger signe de la tête vers la table de Thierry et de Roxanne et continua :

— Tu ne les voyais pas toi, bras dessus, bras dessous…

Clovis dut faire un violent effort pour se maîtriser.

— De quoi tu te mêles ? Roxanne, tu ne la regardes même pas, compris ! Et puis, c'est plutôt toi qui n'as rien vu. Le jeune, qui n'a que quinze ans soit dit en passant, est aveugle, l'interrompit Clovis, piqué au vif par cette allusion.

— Les chuchotements au creux de l'oreille qui n'en finissaient pas, les rires de connivence. Il lui a mis la main sur les genoux, surenchérit-il. Aveugle, belle excuse, hein? À moins d'avoir changé, tu n'es pas porté à partager quand il s'agit de Roxanne... Tu le connais, toi, le gars avec qui elle est? À ta place...

La scène qu'il avait surprise au moment de son but victorieux s'imposa à Clovis : Roxanne toute contre Thierry. Il la chassa de son esprit et s'empressa de couper la parole à son interlocuteur.

— Tu arrêtes de surveiller ma blonde, compris! Je ne sais pas pourquoi tu me dis tout ça! Roxanne a toute ma confiance et Thierry Roy est notre ami.

— J'en doute pas. Tu peux faire confiance à Roxanne, mais tu serais surpris de savoir à quel point ce gars-là peut être hypocrite. Il joue au misérable pour séduire tout le monde. Les filles adorent ça. Mais aussitôt que tu auras le dos tourné, il va tenter sa chance. Je ne connais pas une fille qui soit capable de résister...

Baissant la voix, Clovis lui murmura :

— T'es chanceux que la place soit pleine de monde parce que je te ferais ravaler tes paroles avant de te jeter à la porte!

Éric simula l'indignation :

— Belle reconnaissance. Je te le dis, méfie-toi. Le jeune a déjà passé de la drogue à l'école… Puis il a fait semblant qu'il n'en savait rien.

Un rappel de ce sujet délicat joua en sa faveur.

— Qui t'a dit ça?

— Tu ne lis pas les journaux? Y a pas que le sport dans la vie! Je connais un des gars qui s'est fait prendre à cause de lui. Ça m'écœure de voir à quel point la vérité a été déformée. Personne n'a de chance contre un gars qui inspire la pitié. Je voulais juste te rendre service, moi.

L'équipe commençait à montrer des signes d'impatience et réclamait son capitaine confiné dans un coin. Clovis mit fin à l'entretien en assénant une claque robuste dans le dos du jeune homme. Avant de partir, il lui lança:

— L'équipe s'entraîne demain et lundi. Viens me voir.

Éric se faufila vers la sortie et, sans saluer personne, disparut dans la nuit profonde.

Roxanne reconnut des signes évidents d'irritation chez son ami de cœur.

« C'est qui ce gars-là? Il n'a pas l'air d'avoir aimé la partie! J'espère que Clovis ne lui a pas donné raison s'il s'est plaint que je l'ai dérangé », souhaita la jeune fille avec agacement.

— Roxanne, ça va?

Depuis le début de la soirée, c'était la première

fois qu'elle restait si longtemps sans parler. Thierry cherchait un prétexte pour engager la conversation et savoir ce qui se passait.

— Tu dois avoir mal à la gorge. Tu as dû crier tellement à cause de moi.

— Désolée, je ne suis plus drôle. Pour dire vrai, j'ai un peu mal à la gorge, mais ça m'arrive souvent après des parties enlevantes comme celle-là. Non, ce n'est pas ça. Je viens de voir quelqu'un parler avec Clovis. Il n'a pas l'air d'avoir apprécié la partie. C'est pas important. Y en a toujours un pour venir embêter les gagnants. Je crois que Clovis l'a remis à sa place, le gars vient de quitter le restaurant.

La jeune fille regardait son copain se diriger vers d'autres tables et parler avec les invités. Elle aurait souhaité qu'il vienne les rejoindre, mais c'était probablement mieux ainsi. Avec tous ces regards posés sur lui, l'intimité aurait été impossible.

Thierry n'était pas dupe. Quelque chose d'imprévu s'était produit.

— Roxanne, ça te dérangerait de venir me reconduire chez moi?

La jeune femme consulta sa montre.

— Oh! Misère! J'ai complètement oublié l'heure. Il est minuit passé. Tes parents ne seront pas contents.

— Tu n'as pas besoin d'entrer dans la maison. On va espérer qu'ils sont couchés, dit-il à la blague.

La jeune fille se leva, lui offrit son bras et l'aida à se diriger vers le vestiaire. Elle vit Clovis la suivre des yeux. Il délaissa la tablée à laquelle il venait de se joindre.

— Attends-moi ici, je vais avertir Clovis et je reviens.

Avant même qu'elle ait fait un geste, son ami était près d'elle.

— Tu ne pars pas déjà?

Thierry constata que la voix était à nouveau enjôleuse, presque suppliante.

— Oui, je vais reconduire Thierry chez lui et je rentre à l'appartement. J'ai mal à la gorge.

— Reste ici, il fait froid. Je vais y aller, moi, le reconduire. La soirée ne fait que commencer.

— Toujours aussi galant, ton beau Clovis lança une voix féminine non loin d'eux.

Roxanne fit un radieux sourire aux invités autour d'eux et approuva de la tête.

— Oh! Oui. Bonne soirée! Ne le retenez pas trop tard.

Puis s'adressant à Clovis à voix basse pour n'être entendue que par lui, elle conclut :

— Il est fatigué et moi aussi. De plus, j'ai promis à ses parents que je le ramènerais moi-même à la maison!

Le jeune homme prit Roxanne par la taille et comme pour lui dire bonsoir, il fit mine de l'embrasser près de l'oreille. Mais il lui répéta plutôt sèchement :

— Tu restes ici ! Tu vas faire jaser. C'est moi qui vais le reconduire et je reviens. Tu m'entends ?

Sur le même ton de confidence, elle murmura :

— Qu'est-ce qui te prend ? Ne t'inquiète pas !

Elle se dégagea, se leva sur la pointe des pieds pour l'embrasser sur la joue et s'éloigna de lui.

— Bonne soirée.

Elle lui tourna le dos et s'approcha de l'adolescent.

— Prends mon bras, on part.

Thierry avait entendu la voix de Clovis se métamorphoser pour devenir menaçante. Pour la deuxième fois ce soir, Roxanne avait tenu tête à Clovis à cause de lui.

— Je peux rester encore un peu. Je vais téléphoner à mes parents, proposa-t-il, embarrassé.

— Non. Cette fois, c'est assez !

Sur ces mots, le duo sortit, laissant Clovis interdit. Pour faire oublier l'incident, et malgré sa colère, il se tourna vers la salle et d'une voix forte, il conclut en riant :

— C'est ma tournée. À la santé de Roxanne et de son grand cœur !

Cette déclaration souleva l'approbation générale. Clovis avait sauvé la face. Une admiratrice s'approcha de lui, lui sourit et engagea la conversation.

À sa sortie du restaurant, Éric s'était attardé quelques instants dans le stationnement, marchant et respirant l'air froid à pleins poumons afin de se calmer les nerfs. La conversation avec Clovis lui avait remonté le moral, il fallait livrer combat et il comptait sur l'effet de surprise. Son adversaire ne se doutait de rien.

Comme il se rendait enfin à sa voiture, la porte de l'établissement s'ouvrit. Il hâta le pas et s'engouffra dans son véhicule. Un flot de lumière et de bruit s'échappa du resto. Invisible dans la pénombre, Éric démarra le moteur de sa voiture mais attendit, se demandant qui pouvait bien quitter la fête si tôt.

Il vit Thierry qui tenait le bras Roxanne. Ils se dirigeaient vers une automobile.

«Ils ne se lâchent pas. C'est peut-être vrai ce que j'ai dit à Clovis. En plus, elle va me montrer où il habite. Comme c'est gentil», ironisa-t-il.

Il s'étira le cou pour regarder la direction que prenait la voiture. Dès qu'ils eurent une légère avance, Éric les suivit.

Ils roulèrent en silence, mais si Thierry n'avait pas entendu la conversation entre Clovis et Roxanne, il n'aurait jamais deviné le trouble de la jeune femme. Elle lui demanda :

— Tu as aimé ta soirée ?

— Oui, merci.

— Tu n'as pas à me dire merci, je me suis amusée autant que toi.

Le silence retomba.

— Une belle partie, n'est-ce pas ?

— Ouais.

À nouveau, le silence.

Après quelques minutes, Roxanne s'impatienta :

— Qu'est-ce qu'il y a ? Pourquoi tu ne dis plus rien ? Pas à cause de Clovis, j'espère ! Toute une personnalité, mon chum !

— Il t'aime beaucoup, hein ?

— Oui, beaucoup. Il est comme ça : passionné pour tout ce qui l'intéresse. Pas de demi-mesure. Il est un peu jaloux, tout le monde le sait.

Le silence se fit plus lourd. N'y tenant plus, elle demanda :

— Tu as entendu ce qu'il m'a dit à l'oreille, n'est-ce pas ?

Le jeune aveugle approuva de la tête.

— Eh bien, t'es peut-être aveugle, mais t'es loin d'être sourd ! s'exclama la jeune fille, s'efforçant de garder une voix enjouée.

Malgré ses efforts, Thierry perçut sa déception. Roxanne sentit le besoin d'excuser le comportement de son amoureux :

— C'est un grand bébé gâté, mon Clovis.

Thierry aurait préféré n'avoir rien entendu.

«*Et toi, tu l'aimes ?*», fut-il tenté de demander. Mais il garda cette question pour lui.

Les chuchotements de Clovis au creux de l'oreille de Roxanne pendant qu'il l'enlaçait n'avaient pas l'air de mots d'amour.

Le visage de Thierry laissait paraître son inconfort.

— Ne dis rien à personne, d'accord?

Contre son gré, le jeune aveugle lui signifia d'un
geste agacé qu'il acceptait. Elle mit sa main sur la
sienne, reconnaissante. Thierry se demanda si son
malaise croissant était dû à sa méfiance excessive
ou... à la jalousie.

Il ne la trahirait pas, même s'il s'était déjà juré
de ne plus se laisser entraîner dans ce genre de
situation aux conséquences imprévisibles.

Il était peiné également d'avoir été un sujet de
discorde entre Roxanne et Clovis.

«Je ne sais rien d'eux, songea-t-il. Mais je
déteste le ton qu'il a pris avec elle»!

Ils ne dirent plus un mot pendant tout le reste
du trajet.

— Nous sommes arrivés. Tu veux que je te
reconduise à l'intérieur?

— Non. Je vais me débrouiller.

— Ça reste entre nous, promis? Clovis s'est
énervé, c'est pas grave!

— Ça ne me regarde pas.

Un sourire dans la voix, elle le salua en lui met-
tant la main sur le bras.

— Bonne nuit. À lundi.

— À lundi.

Rassurée par la lumière qu'elle voyait dans la

maison, la jeune femme attendit tout de même que Thierry eût atteint la porte pour s'en aller. Elle le vit entrer et tout devint noir à l'intérieur. Sans plus attendre, elle partit et regagna son appartement.

Quelques secondes plus tard, une autre voiture passait lentement dans la rue, tous feux éteints. Prudent, Éric ne resta que quelques secondes devant la maison puis il s'éloigna, satisfait de ce qu'il avait appris ce soir.

«J'en connais un qui ne me croira pas lorsque je vais lui raconter tout ça.»

Le plus silencieusement possible, Thierry ouvrit la porte et la referma tout aussi doucement. De la main, il constata que la lumière de l'entrée était ouverte. Il l'éteignit pour ne pas déranger ses parents.

Sans bruit, l'adolescent déposa sa canne et retira son manteau. Assoiffé, il entra dans la cuisine, ouvrit le frigo, prit le litre de lait et but à même le carton. Il entendit remuer dans la chambre de ses parents. Il constata, un peu déçu, que sa mère l'attendait.

— Enfin, le voilà!

Ses parents étaient éveillés. Laurence vint le trouver. Elle alluma et regarda par la fenêtre en passant près de l'entrée.

— Bonsoir, maman. Tu ne dors pas?

— Chéri, tu sais l'heure qu'il est? Minuit quinze!

— Laurence, laisse-le arriver, lança Philippe depuis la chambre à coucher.

— Thierry, sers-toi d'un verre pour boire, s'il te plaît ! dit-elle en lui donnant un baiser sur la joue.

— Je fais moins de dégât comme ça ! J'ai fini !

— Elle est prévenante, la jeune fille qui t'accompagnait.

— Pourquoi tu dis ça ? Tu aurais voulu qu'elle entre ? Rétorqua Thierry croyant déceler une intention ironique dans la remarque de sa mère.

— Non, parce qu'elle vient juste de repartir.

— Ah !

Thierry fut étonné. Il avait pourtant cru entendre l'auto s'éloigner dès qu'il avait fermé la porte. Il s'était peut-être trompé. Le samedi, il y avait toujours un peu plus de circulation à cette heure.

— Tu vois que tu n'as pas de raison de t'inquiéter, dit son père qui venait de les rejoindre.

Il entendit sa mère prendre une grande respiration afin de se calmer. Elle était en colère parce qu'il rentrait tard et parce que Philippe prenait ça à la légère. L'adolescent haussa les épaules en se disant que la soirée en avait valu la peine, malgré l'incident à la fin.

— Et Roxanne ? Tu as aimé l'expérience d'avoir une accompagnatrice au hockey ?

— Oui ! J'ai adoré la partie de hockey. Roxanne m'a tout décrit, elle a donné tellement de détails que je voyais quasiment les joueurs. Mais je suis crevé. Roxanne doit être encore plus fatiguée que moi.

— Assieds-toi et raconte.

Il leur décrivit le match. Volontairement, il leur cacha l'incident de fin de soirée au restaurant afin de ne communiquer que le plaisir réel vécu durant la partie. Le bonheur de son fils ramena la bonne humeur de Laurence.

— C'est très délicat de la part de Roxanne. Tu la trouves de ton goût?

— Elle m'a fait une très bonne impression, moi, déclara Philippe.

Thierry rougit.

— Elle a un petit copain.

Il sentit sur lui les yeux scrutateurs de ses parents.

Ces derniers se regardèrent avec un léger hochement de la tête. C'était donc ça, le bémol qu'ils décelaient dans la voix de leur fils.

# Chapitre VI

*Les complices se retrouvent*

Avoir retrouvé Thierry Roy avait échauffé l'esprit d'Éric Moisan. Il se demanda s'il avait bien fait de parler à Clovis. Il avait foncé sans réfléchir comme d'habitude. Un sourire de satisfaction apparut malgré tout sur son visage.

«Les choses se mettent en place toutes seules, se dit-il pour se rassurer. Clovis lui-même m'a rappelé qu'il tenait à ce que ses petits écarts de conduite restent cachés! Intéressant!»

Le jeune homme regarda sa montre.

«La soirée a commencé tout croche, mais elle prend une maudite bonne tournure. Minuit et trente! J'ai le temps d'aller le voir.»

Il partit dans la ville, à la recherche d'une cabine téléphonique.

– Allo! Luc! C'est Éric.

Luc Jordan, celui-là même qui hantait les nuits de Thierry.

— Ouais! Salut. Pratique, un cellulaire, hein? Commence à être temps que tu me donnes signe de vie.

— J'ai laissé passer un peu de temps. Tu sais

que la police nous a à l'œil. J'aurais le goût d'aller prendre une bière avec toi. J'ai des choses pas mal excitantes à te raconter. T'es où en ce moment? demanda Éric, gonflé à bloc.

— Au bar Le Marquis de Sade.

— Je saute dans l'auto et dans vingt minutes, je te rejoins.

— Je t'attends.

Lorsqu'Éric franchit la porte du bar, une tache de lumière attira son attention vers la scène où une femme dansait sous les regards avides des habitués. Des projecteurs aux lumières crues éclairaient la scène, laissant le reste du lieu dans la pénombre.

Luc vint à sa rencontre sans tarder.

— Hein! Mon chum, méchant changement. Une chance que je savais que tu t'amenais sinon je pense que je t'aurais pas reconnu, dit-il en l'entraînant vers sa table, dans un coin éloigné du bar.

— Toi, tu changes pas. T'as pas l'air d'avoir trop de misère.

Luc s'amusait à regarder la tête que faisait Éric qui ne quittait pas la scène des yeux.

— Super, hein? On est loin des gymnases, ici. Personne ne va nous écouter.

En effet, l'assistance surexcitée n'avait d'yeux que pour le spectacle.

Éric resta de longues secondes à regarder. Hypnotisé.

— Alors, tu voulais me dire quoi ? demanda Luc, une fois qu'on leur eut apporté les bières qu'ils avaient commandées.

Dans cette ambiance lascive, les yeux exorbités d'excitation, Éric sentit monter en lui un désir ardent de vengeance. Il prit son verre, but sa bière jusqu'à la dernière gorgée et resta un moment silencieux.

Éric retrouva ses esprits et, se rappelant la raison de sa présence, tonna, en colère :

— Fallait que je te parle. J'arrive d'un match de hockey pourri. J'ai failli m'étrangler quand j'ai...

— Parle pas si fort. Si c'est parce que ton équipe a perdu que tu pompes comme ça, moi j'en ai rien à foutre.

— Écoute ! J'ai une bonne nouvelle à t'annoncer. Je sais où il a déménagé.

Sans même avoir prononcé son nom, Luc comprit.

— Je savais qu'on le retrouverait ! Mais... attends un peu, pourquoi tu me parles de hockey ?

— Je te parle de hockey, parce que c'est à l'aréna que je l'ai vu, accompagné de la fille la plus sexy d'une belle gang d'hystériques. Il est passé devant moi. Encore un peu, il me touchait les genoux ! Débile, hein ?

À son tour, Luc but une longue rasade de bière. Puis il demanda méfiant :

— Es-tu sur un trip ? Tu me fais marcher ?

— Non ! Sérieux ! Il est passé à quelques centimètres de moi. J'ai eu le goût de l'enfarger.

Éric raconta sa soirée à Luc, sans omettre aucun détail.

— Je suis tellement furieux. Ça m'écœure de l'avoir vu avec des filles super, le niaiseux, pendant que nous, on en bave à cause de lui.

— Arrête de brailler, continue.

— Il était accompagné par la petite amie du capitaine de l'équipe, Clovis Gagnon que je connais bien. Comment est-ce possible ? Demande pas ! Il a fait l'intéressant en parlant d'un chien errant qu'il aurait apprivoisé. Des niaiseries. Il nous passe sous le nez, et on peut rien faire.

— Qui dit qu'on peut rien faire ? Quelqu'un t'a reconnu ?

— Non ! Tu m'as à peine reconnu toi-même. C'est la première fois que je retournais dans le coin depuis des mois. J'aime mieux passer incognito ces temps-ci. Et l'aveugle…, il ne voit rien.

Éric émit un petit rire.

— Tu lui as rien dit, j'espère ?

— Non ! J'suis pas idiot ! T'as une idée, toi ? C'est pas vrai qu'il va se la couler douce à nos dépens. Mais je voudrais pas que ce soit un échec, comme la dernière fois…

— Tu te mets en colère, mais tu veux rien

risquer, hein ? Tu changes pas.

Devant la réaction de Luc, Éric insista :

— Regarde où ça nous a menés. Moi, je veux finir mes cours à l'université, un jour. C'est pas le cas de tout le monde, hein ?

Des cris d'encouragements attirèrent leurs regards vers la scène. Luc et Éric restèrent silencieux un long moment.

Luc regardait devant lui, sans rien voir, perdu dans ses pensées. Abruptement, le jeune homme s'exclama :

— Enfin ! J'y pense depuis trois mois. J'ai ma petite idée.

— C'est quoi ? Depuis que j'ai parlé avec Gagnon au resto, j'en ai une, moi aussi.

— À notre tour de nous amuser ! Sans risque, avança Luc. On va se payer la traite.

Il connaissait bien Éric, un braillard aux réactions imprévisibles. Alors, il se fit rassurant. Lui, il se foutait de prendre des risques. C'est pour cette raison que Max l'avait préféré aux deux autres.

Moisan leva sa bière et clama :

— Yeah ! À l'idée qu'on va pouvoir enfin se faire justice, je respire mieux. Max se croyait plus malin que tout le monde et maintenant, il est en prison. On n'a pas besoin de lui.

Luc n'ajouta rien à ces propos. Riant de plus belle, il lança :

— Et tout ça, ça nous rapportera... une conscience tranquille d'avoir tenu parole! Le plus beau dans tout ça, c'est que ce que j'ai en tête se fera en toute légalité!

Le spectacle sur la scène souleva un tonnerre d'applaudissements.

Enivrés par l'alcool, les deux complices laissaient leur imagination fonctionner à deux cents à l'heure.

Un sursaut de prudence agita l'esprit embrumé d'Éric.

— La police nous interdit de l'approcher.

— Je m'en tape de leurs interdits, crâna Luc. C'est des mots, rien de plus. On m'a foutu à la porte de l'école, c'est la seule bonne nouvelle. Mais je m'ennuie chez mon père. Il est convaincu qu'il va réussir à me ramener dans le droit chemin. Mon oeil! À l'entendre, on dirait que j'ai commis un meurtre. Des fois, j'ai envie de tout casser dans la maison. Mais je reste là, j'ai pas vraiment le choix. Je tiens trop à mon confort. C'est au vieux à payer.

— Ton père te laisse sortir?

— J'ai dix-huit ans, bientôt dix-neuf! Puis y m'aimmmmeeee! Il est scandalisé par les coups que fait son fils, mais il finit toujours par passer l'éponge. Bonasse à ce point-là, ça m'écoeure. Je réussis à lui soutirer de l'argent. Sinon, je le prends dans ses poches. Je pense qu'il s'en aperçoit, mais il ferme les yeux. Ça me fait tripper de penser que je lui fais peur. On s'engueule tout le temps! Revenons à notre stratégie. On va...

Luc n'avait raconté qu'une partie de la réalité. C'était pire encore. Son expulsion de l'école avait porté un dur coup à son père, qui avait pourtant tout tenté pour lui éviter cette déchéance. Professeur dans la polyvalente où son fils étudiait, Benoît Jordan avait dû ravaler sa honte et n'avait pas eu d'autre choix que d'accepter la décision de la direction.

Éric avait raison de rappeler à Luc qu'ils n'avaient pas le droit d'approcher Thierry Roy. Lorsqu'ils avaient comparu devant le juge sous l'accusation de trafic de drogue, la sentence prononcée avait été claire : interdiction formelle de se trouver en présence de la victime qu'ils avaient contrainte à être leur complice. Grâce aux plaidoiries habiles de leurs avocats, la peine d'emprisonnement avait été transformée en travaux communautaires avec obligation de se rapporter chaque semaine à la police. Au grand dam des parents, une lourde caution avait été exigée.

Dès la fin du procès, Maurice, dit Momo, était retourné chez ses parents. Ceux-ci avaient déclaré que leur fils avait été victime d'un concours de circonstances et que son entourage était responsable de ce qui lui était arrivé.

Les parents de Thierry Roy avaient trouvé, pour leur part, la sentence trop légère en regard de tout ce qu'avait subi leur fils.

Luc préféra éviter de parler davantage des relations entre lui et son père et changea de sujet.

— Je reçois encore des nouvelles de Momo par internet. Il s'est inscrit à un cours d'informatique à l'Université de Montréal. Ses parents ont dû mettre le paquet pour le faire accepter !

❧ ❧

Roxanne claqua la porte et lança son manteau sur le divan. La jeune femme était d'humeur massacrante. Elle ne tenait pas en place et marmonnait, d'une voix cassée par la colère :

— Maudit Clovis ! Maudit ! C'est bien fait pour lui. Grand bébé !

La jeune fille au tempérament bouillant en avait plus qu'assez.

— C'est ça ! Tant que les caprices de monsieur sont satisfaits, monsieur est heureux. MON équipe, MA Roxanne, MON restaurant. Je ne suis pas sa propriété ! Je déteste ça ! Ça m'écœure que Thierry l'ait entendu. C'est injuste pour lui. Dès la première sortie, on lui fait sentir qu'il dérange. On aurait dit que Clovis lui en voulait.

Elle ne parvenait pas à se calmer.

Ce n'est pas Roxanne Léveillé qui va se laisser marcher sur les pieds. Par personne. Il va devoir s'excuser !

Peu à peu, la pression retomba. Malgré elle, Roxanne chercha à excuser Clovis.

— Ce n'est pas complètement de sa faute. Il prend tellement tout à cœur. Un rien l'énerve. Il était magnifique sur la patinoire. Faut dire que j'ai mon caractère moi aussi...

Malgré l'heure tardive, elle prit place à son bureau et ouvrit son journal. Pour elle, pas question de débuter par la formule : Cher journal. Tellement poche ! C'était en fait un agenda dans lequel elle consignait les évènements importants de la journée.

Pourtant, ce soir, c'était différent. Elle avait le goût d'écrire autre chose. Thierry avait fait une forte impression sur elle.

*Vendredi soir 23 février.*

*Ce fut une très belle soirée. Malgré le fait que c'est la première fois que je tiens tête à Clovis. Je ne comprends pas sa réaction. D'habitude, ça me flatte qu'il soit un peu jaloux, mais ce soir, il y est allé un peu fort.*

*Clovis savait que j'irais chercher Thierry. Je n'ai pas fait des cachotteries.*

Son tempérament énergique reprit le dessus. Retrouvant son entrain, elle se concentra sur sa réussite.

*J'ai gagné mon pari. Les filles ne croyaient pas que je*

*parviendrais à amener Thierry Roy au match. Je l'ai fait! Moi qui m'imaginais être obligée de le traîner comme un boulet – et pas seulement parce qu'il est aveugle – je me suis trompée. On ne dirait pas qu'il a tout juste quinze ans. La soirée a été étrange. On aurait dit qu'il y avait plein de dangers qui rôdaient autour de lui.*

*Ça le rend attirant.*

*J'ai eu l'impression qu'il pouvait lire dans mes pensées. Comme je peux être idiote! Pour savoir à quoi ressemble quelqu'un, il doit bien falloir qu'il touche, et pas que la main…*

Cette fois, Roxanne pensa qu'elle était allée trop loin. Mais elle décida de ne rien effacer, se disant qu'il n'y avait pas de mal à avoir un fantasme un peu farfelu. Rassurée par cette pensée, elle se remit à écrire.

*Il m'a semblé qu'il voyait mes descriptions avant même que je finisse mes phrases tellement il était attentif à mes paroles. J'aurais bien voulu que quelqu'un essaie de m'arrêter, il aurait eu affaire à moi.*

Elle pensa aux gestes hostiles, presque agressifs, du spectateur qui occupait la troisième rangée, un peu plus bas. Elle se rappela aussi sa discussion avec Clovis au restaurant.

« *Je suis contente de n'avoir rien dit à Thierry. Je lui aurais gâché sa soirée. Le gars faisait peur à voir.* »

Elle chassa la désagréable sensation que faisait naître ce souvenir.

Roxanne s'interrompit à nouveau. Elle n'avait pas l'habitude d'écrire autant dans son agenda. Elle appréciait l'exercice. Elle secoua la tête et reprit la rédaction de ses aveux à son « cher » journal. Elle sourit à cette pensée.

*La première fois que je l'ai vu, je trouvais qu'il faisait pitié. Je ne suis pas certaine qu'il serait content d'apprendre ça.*

*Je me suis enfin décidée à aller à sa table et je suis fière de moi. C'est peut-être de ça que parle Clovis lorsqu'il répète que j'ai toujours le goût de le materner. Ce qu'il peut m'énerver lorsqu'il me dit ça. Des fois, on dirait qu'il « paranoïe » (oups! Je ne sais pas si c'est un vrai mot.) Je suis tellement déçue que Thierry ait entendu ce que Clovis m'a soufflé à l'oreille.*

*J'espère qu'il ne dira rien.*

Roxanne se redressa. Elle avait retrouvé son calme en écrivant.

À haute voix, elle déclara :

— Bien sûr que je l'aime, mon Clovis! AH!!!

Elle fut saisie par deux bras vigoureux et

soulevée de sa chaise pour être enlacée avec force. L'étreinte manquait de tendresse.

— Dis-le encore que tu m'aimes en me regardant droit dans les yeux.

Clovis était arrivé sans faire de bruit. Il était resté derrière elle quelques instants à la regarder écrire. Il était fou de cette fille vive et intelligente.

En la voyant si absorbée, il se demanda si elle pensait à lui en ce moment ou à quelqu'un d'autre… Thierry, par exemple. « *Thierry! Ce n'est pas sérieux, un infirme de quinze ans.* » Mais Éric Moisan avait eu la même idée que lui. Il s'empressa de chasser cette hypothèse ridicule.

Sous le choc, Roxanne n'eut pas le temps de fermer son cahier. Elle le regardait, affolée, du coin de l'œil. Le cœur battant, elle cria :

— CLOVIS GAGNON! LÂCHE-MOI! TU ME FAIS MAL. NE ME REFAIS PLUS JAMAIS ÇA.

Pendant un moment, le jeune homme la garda contre lui, resserrant son étreinte, puis il la déposa, agacé.

— Qu'est-ce qui te prend?

— J'AI EU PEUR. Tu m'as fait sursauter, espèce de fou, s'exclama-t-elle, le cœur en chamade.

Roxanne étira son bras et ferma son journal en vitesse. Son geste brusque attira l'attention de Clovis.

— Tu me fais des cachotteries? Non. Tu m'écris et tu es trop timide pour me laisser lire tes mots d'amour ? Tu me les montres ?

— Tu veux arrêter de dire des niaiseries ? J'ai noté ton but gagnant de ce soir, mentit-elle.

Jusqu'à ce jour, elle n'avait jamais omis de les inscrire dans son agenda.

Elle n'avait pas oublié sa déception au restaurant et sa mauvaise humeur refit surface.

— J'ai détesté comment tu m'as parlé au restaurant. J'avais promis de m'occuper de Thierry et je l'ai fait.

— Oui, pauvre Thierry. Tu as passé toute la soirée collée sur lui.

— Collée ! Tu dis n'importe quoi.

Usant de son charme, le jeune homme se rapprocha d'elle et la prit par la taille. D'une voix boudeuse, il lui fit des reproches.

— Je regrette, mais vous étiez tellement proches l'un de l'autre. Vous aviez l'air de bien vous amuser. J'ai eu l'impression qu'il buvait tes paroles.

— Je lui décrivais le match.

— Tu le trouves comment ? Je suis déçu que tu sois arrivé en retard à l'aréna. Au restaurant, tu es restée toute la soirée près de lui. Je me suis senti abandonné quand tu es partie. Je n'ai vraiment pas aimé ça. Je serais allé le reconduire, moi. Ça va faire jaser.

Roxanne repoussa les mains du jeune homme et recula d'un pas, exaspérée.

— Clovis! Qu'on jase! Je m'en fous! Tu es trop jaloux. Il a quinze ans! Qui serait assez stupide pour voir du mal dans ce que j'ai fait pour lui ce soir? Qui? Cet imbécile? Le grand sec à barbiche avec qui tu as parlé dans un petit coin? Tu n'arrêtais pas de me regarder avec des sourires sous-entendus. Je le connais?

— Non, mentit-il à son tour. Un copain. Thierry a peut-être quinze ans, mais c'est un gars.

— Tu es insultant.

Une colère sourde montait en elle. Elle lui tourna le dos et s'apprêta à sortir de la pièce. Clovis l'attrapa par le bras brutalement.

D'étonnement, Roxanne ouvrit de grands yeux. Elle porta son regard sur son bras et regarda à nouveau le jeune homme.

D'une voix sifflante, elle lui ordonna en détachant lentement chacun des mots :

— Tu… lâches… mon… bras!

Durant quelques secondes, Roxanne et Clovis se dévisagèrent. Clovis fut le premier à détourner le regard, regrettant son geste. Honteux, il lâcha le bras de sa copine.

— Pardon, Roxanne, pardon. C'est la fatigue. Je ne sais pas ce qui m'a pris. J'ai confiance en toi, tu le sais.

La jeune fille était encore sous le choc.

— Mais tu as vu comment il a réagi quand je me suis assis près de lui. Je n'ai pas aimé ça. Je me suis senti mis à part.

— Moi, moi, moi. Que ton petit moi !

Roxanne fut tentée de lui révéler que Thierry avait été témoin de la façon dont il lui avait parlé au restaurant, mais elle n'en dit rien de peur de faire éclater à nouveau sa colère.

Elle prit son agenda et sortit de la pièce sans rien dire. Elle fila à sa chambre et claqua la porte.

Cloué sur place, Clovis resta un moment sans bouger, l'air piteux. Il regrettait sa conduite.

Il alla près de la porte et voulut l'ouvrir. Elle était verrouillée. Dépité, il cria :

— Ouvre, Roxanne. Je suis désolé ! J'ai mal agi, je le sais. Ouvre !

Il ne reçut aucune réponse. Il était pourtant sincère, et malheureux de s'être laissé influencer par le premier venu. Il avait réagi trop promptement, comme un imbécile.

🐾 🐾

Lorsque Thierry se mit au lit ce soir-là, il se sentait ivre d'images et de sons. Sa tête était pleine du tumulte joyeux de la foule, des cris d'encouragement, des huées, des éclats de rire et du son des trompettes qui évoquait des cornes de brume. Tout se confondait. Des milliers de mots se répercutaient en écho dans son esprit. Mais surtout, il y avait la voix de Roxanne qui, comme un chef d'orchestre, unifiait le tout, rendant les bruits semblables à la musique d'une fête.

Thierry repassa dans sa tête le film de sa soirée dans les moindres détails. Pour la première fois, il avait fait partie d'une vraie gang et il avait adoré ça.

La promesse qu'il avait faite à la jeune fille, il la respecterait. Il ne dirait rien des paroles qu'il avait entendues puisqu'elle le lui avait demandé. Thierry en voulait à Clovis d'être à la fois si parfait et si manipulateur. Mais personne ne saurait ce qu'il pensait vraiment de lui, ce serait son secret. Il souhaitait conserver l'amitié du couple afin de côtoyer la jeune fille le plus souvent possible.

Vers deux heures du matin, Thierry se réveilla en état de panique. Il grelottait de froid. Il remonta les couvertures sur lui. Encore une fois il ressentit cette main glaciale qui l'alarma. Il chercha à se ressaisir mais son corps était crispé et sa mâchoire, douloureuse.

Une voix inconnue… qui dominait à elle seule toute la foule. Elle résonnait dans son crâne, comme une menace.

Envahissant sa pensée, quelques mots entendus au hasard de cette soirée s'étaient accrochés à son esprit et occultaient tout le reste.

«Ouais, ça va! Y a pas le feu!»

Ces mots banals prononcés par un étranger avaient pris toute la place dans son cerveau.

Des bribes de phrases continuèrent à tourner en boucle pour bientôt s'évanouir une à une et n'en laisser qu'une seule dans son esprit. Il avait mal à la tête.

«Ouais, ça va! Y a pas le feu!»

Ces mots s'agrippaient à lui, dominant les cris joyeux de la foule.

Cette voix... Ces mots... Parfois, ils résonnaient clairement, prêts à se laisser saisir, mais l'instant d'après ils devenaient flous et fuyants. Ça tournait à l'obsession.

«Ouais, ça va! Y a pas le feu!»

Thierry pensa qu'il délirait. Cette phrase revenait sans cesse. C'était épuisant. Cette voix résonnait dans sa tête avec tant d'insistance que Thierry ressentit l'urgence de savoir à qui elle appartenait. Elle avait été prononcée si rapidement, mais elle avait mis le jeune aveugle en état d'alerte. Il s'était senti menacé.

Il savait à qui elle appartenait, pourtant.

Il se concentra. Il avait frôlé cet homme.

Les mots brusquement cessèrent de s'agiter dans sa tête et un nom s'imposa à lui. Thierry murmura, fiévreusement :

— Éric Moisan!

En évoquant ce nom, un sentiment de danger l'envahit. Éric Moisan, c'était l'impulsif aux réactions violentes, un des quatre complices responsables de son enlèvement.

On l'avait retrouvé.

Épuisé, Thierry sombra dans un sommeil agité.

Il fit un rêve qui l'entraîna dans un appartement dont les murs étaient faits de béton. Les portes ressemblaient à des couvercles de cercueils. Et quelqu'un s'amusait à le tourmenter.

🐾 🐾

Luc n'avait pas tout dit à Éric.

Grâce à son réseau, il avait réussi à avoir des nouvelles de Maxime Thériault qui était en prison, en attente de son procès pour meurtre.

Il savait qu'on avait dû l'isoler pour assurer sa sécurité. En effet, dès le premier jour de son incarcération, il avait été impliqué dans une bagarre. Personne ne pouvait supporter son odeur repoussante. Les détenus de cette prison ont tendance à lyncher les violeurs et tueurs d'enfants.

Luc avait perdu son mentor. Pour lui, c'est ce qui importait. Le reste, tout ce qu'il avait pu faire de mal, le laissait de glace.

Depuis trois mois, il ruminait sa vengeance.

Il quitta le bar au petit matin, bien après le départ d'Éric. Guidé par les informations que ce dernier lui avait données, il fila voir par lui-même où résidaient les Roy.

Le quartier était désert en ce dimanche matin.

Il avait tourné sur la route qui faisait face à la demeure des Roy, cherchant à s'éloigner des résidences. Quand il eut garé sa voiture près du boisé, il éteignit les phares, arrêta le moteur et étudia les alentours.

«On va rigoler», pensa Luc.

Quelqu'un était debout à cette heure matinale! Lucien Blouin s'approcha de la fenêtre pour tenter de voir de qui il s'agissait. La pénombre l'empêchait de distinguer le conducteur du véhicule. Il attendit quelques instants. Rien ne bougeait.

«Mais qu'est-ce qu'il fabrique là? Je sors ou j'appelle la police?»

La voiture redémarra et s'éloigna. Lucien s'écarta légèrement de la fenêtre afin de ne pas être repéré et il suivit l'auto du regard. Parvenue devant la résidence des Roy, la voiture ralentit puis s'éloigna en vitesse.

# Chapitre VII
*Un jeu cruel*

— Il fait si beau aujourd'hui! J'ai le goût d'aller marcher. Ton père est occupé dans son bureau. Tu viens avec moi? Tu ne resteras quand même pas collé à ton écran toute la journée?

Laurence était d'excellente humeur, mais son enthousiasme fléchit quand elle regarda son fils qui travaillait à l'ordinateur.

— Tu n'as pas l'air en forme, toi.

Elle mit sa main sur son front et constata :

— Tu as un peu de fièvre. Tu n'as peut-être pas assez dormi?

Depuis qu'il était levé, Thierry n'avait pas dit un mot. Après le déjeuner, il s'était enfermé dans sa chambre pour faire ses travaux. Il se sentait triste et sans entrain.

Il secoua la tête. Après une hésitation, il admit :

— J'ai mal dormi.

Il tentait de contenir son trouble, conscient de l'importance de ce qu'il s'apprêtait à lui révéler. Puis, se tournant vers sa mère, il murmura :

— Je crois que… j'ai reconnu la voix d'Éric

Moisan à l'aréna hier. Mais… je n'en suis pas certain.

Malgré ses efforts pour ne pas l'inquiéter, sa mère vint s'asseoir précipitamment près de lui. Soucieux de ne pas trop l'alarmer, il enchaîna :

— Ce n'était peut-être pas lui. J'imagine mes agresseurs partout. Cette nuit, ça m'a réveillé. J'étais convaincu que c'était lui, mais maintenant, je ne sais plus trop. Tout s'est passé si vite. Il n'a dit que quelques mots.

Connaissant la justesse de son ouïe, Laurence ne pouvait prendre à la légère les inquiétudes de son fils.

— Ah, non ! C'est pour ça que je…

— Maman ! Je sais ce que tu vas dire.

Il fit entendre un profond soupir.

— De toute façon, même si j'avais eu un chien hier, je ne l'aurais pas emmené ! Roxanne a été super avec moi. Et… je ne suis plus certain, répéta-t-il.

Il tut le cauchemar qu'il avait fait.

— Ils n'ont pas le droit de t'approcher. Mais que pouvons-nous faire pour t'aider ?

Laurence avait le cœur serré. Elle se sentait impuissante à protéger son fils.

— Merci de m'en avoir parlé. S'il arrive quoi que ce soit, à n'importe quelle heure du jour ou de la nuit, tu nous appelles, ton père ou moi, promis ? N'attends surtout pas !

— D'accord. On va marcher maintenant, dit Thierry, s'efforçant de sourire.

L'adolescent pensa à Ami dont il avait caressé le bout du museau à deux reprises. Il espérait que le chien ne se manifesterait pas ce matin.

Son souhait fut exaucé.

Quand Roxanne se leva, elle avait la gorge en feu. Elle s'enveloppa d'une robe de chambre. Elle avait été réveillée par une odeur agréable, mais elle n'éprouva pas la curiosité d'aller voir à la cuisine. Elle était encore d'humeur maussade.

En colère contre Clovis, la jeune femme n'avait réussi à s'endormir qu'au petit matin. Elle n'avait pas cédé lorsqu'il l'avait suppliée de lui ouvrir. Il était resté là plus d'une heure, frappant du plat de la main sur la porte, se confondant en excuses.

Il lui avait serré le bras. Elle regarda la marque que ses doigts avaient laissée.

C'était la première fois que cela arrivait. C'était une fois de trop.

«Je n'ai pas un tempérament de victime, moi. Des échanges verbaux corsés, je suis capable d'en prendre. Mais pas de ça, pensa-t-elle en se frottant le bras. Pourquoi a-t-il réagi avec violence?»

Elle écoutait les bruits de la maison, cherchant à savoir ce que faisait son petit ami. Tout était silencieux.

Elle ouvrit la porte.

Un somptueux déjeuner avait été préparé pour elle. Tout ce que la jeune femme adorait était sur la table. Clovis était assis, l'air contrit, et attendait sans dire un mot. Lorsqu'il la vit, il ne fit aucun geste pour se lever. Sans détacher les yeux des fleurs qu'il avait apportées, il dit d'une voix douce :

— J'ai demandé qu'on ouvre le restaurant une demi-heure plus tôt, pour toi. Le chef a cuisiné des œufs mimosa comme tu les aimes, j'ai pressé moi-même les oranges. Le fleuriste était fermé, alors j'ai pris des fleurs qu'on avait laissées sur une table. J'ai aussi…

— Arrête, tu veux.

Il la regarda enfin, le regard implorant. Elle ne dit rien et alla s'assoir au salon.

Séparé de Roxanne par une cloison, il dut hausser la voix :

— J'étais si heureux de la victoire de mon équipe, hier. Je voulais que tout soit parfait, ça ne l'a pas été. Tout est de ma faute. J'espérais qu'au moins ce petit déjeuner serait parfait.

Il alla vers elle et prit place à ses côtés, sans la toucher.

— Roxanne, je t'aime comme un fou. Hier, j'ai perdu les pédales. C'est la première et la dernière fois, je le jure ! Je pense que je me jetterai en bas d'un pont si tu ne me pardonnes pas.

— Oh! Oh! Tu exagères, Clovis. C'est du chantage ça, pas de l'amour!

— Oui, tu as raison. Je ne ferai pas ça, si c'est ce que tu veux. Est-ce que je t'ai déjà refusé quelque chose? Jamais! Je ferais n'importe quoi pour t'entendre me dire que tu ne m'en veux plus.

Roxanne et Clovis se regardèrent. Le début d'un sourire flotta sur le visage de la jeune femme, illuminant ses yeux magnifiques. Encore une fois, elle se dit que Clovis était un enfant gâté, un séducteur qui obtenait tout ce qu'il voulait.

Clovis était une force de la nature, et elle avait sur lui beaucoup de pouvoir. Cette pensée la grisa. Elle se dit qu'elle avait un peu cherché ce qui s'était passé.

Elle se surprit à penser à Thierry, à la lutte qu'il menait chaque jour, à sa vulnérabilité et à l'attrait qu'il exerçait sur elle. Clovis et Thierry, deux vies complètement différentes.

Encouragé par son sourire, Clovis se rapprocha d'elle. Par mégarde, il accrocha la ceinture de sa robe de chambre qui s'ouvrit, laissant entrevoir le corps à demi nu de sa copine. Roxanne ne fit rien pour la remettre en place. Ce fut pour Clovis, le signe de son acquittement. Un désir violent s'empara de lui, mais il ne voulait pas brusquer les choses. Très doucement, il glissa sa main sur l'épaule découverte de Roxanne.

Le sourire de la jeune femme s'accentua. Incapable de se retenir plus longtemps, Clovis fit tomber complètement le vêtement et la caressa du regard. Il l'allongea sur le dos. Pour prouver son plein regret, il attendit qu'elle l'attire à lui.

Ce qu'elle fit. Leurs étreintes furent passionnées.

Lundi matin, Thierry reconnut le pas d'Étienne près de son casier. Ce dernier lui lança :

— C'est vrai que tu habites près de la mémère à Blouin et que tu as apprivoisé un chien errant? Comment t'as fait?

— Qui te l'a dit?

Le ton ennuyé de Thierry désarma Étienne.

«C'est pas grave. Roxanne a plein de copines. Quand on parle avec une gang de filles, ce n'est jamais très long avant que tout se sache.»

Évidemment que ce n'était pas grave, mais aujourd'hui Thierry n'était plus certain d'avoir eu une bonne idée en révélant l'existence d'Ami.

Il entendit Étienne faire quelques pas pour s'éloigner de lui. Il avait l'impression qu'il lui faisait peur. C'est vrai qu'il n'était pas facile d'approche, toujours aussi méfiant. Le jeune aveugle fit un effort et demanda :

— Étienne, le truc dont tu voulais me parler

l'autre jour, c'était quoi? Tu veux me le dire? On pourrait se rendre en classe ensemble. La cloche ne sonnera pas avant une bonne dizaine de minutes.

Il entendit Étienne s'arrêter et revenir sur ses pas à la hâte. Thierry essayait d'imaginer la surprise sur le visage de son compagnon. Il lui fit un petit signe d'encouragement de la tête.

— D'accord. On y va ensemble.

Durant quelques secondes, personne ne parla.

— Et puis?

— Hum! J'ai décidé de m'entraîner au gymnase trois fois par semaine pendant l'heure du midi, dit Étienne fièrement. Je sais que tu y vas aussi parfois. Tu as l'air en super forme. Je m'y rends aujourd'hui.

Thierry se demandait en quoi cela le concernait, mais il répondit :

— Cool! Je suis content pour toi. Moi, je m'entraîne surtout à la maison. J'ai tout l'équipement qu'il faut dans ma chambre. Mon père tient beaucoup à ce que je fasse des exercices chaque jour. J'adore ça, de toute façon.

— Super!

Il y eut un court moment de silence meublé par le bruit d'un sac qu'on ajuste sur une épaule.

— C'est à cause de toi.

— Hein?

Étienne laissa entendre un rire amical et se rapprocha un peu plus de lui. Thierry sentit nettement l'odeur de transpiration caractéristique de son camarade.

Étienne baissa la voix et lui révéla :

— Je sais ce que c'est l'intimidation. Ils étaient deux, continuellement sur mon dos. Ils n'arrêtaient pas de m'achaler. Ils me donnaient des coups d'épaules en me disant des méchancetés, comme : Aie, le gros, tasse-toi! ou le mollusque, tu nuis, bien d'autres, pires encore. Ils me faisaient des grimaces en gonflant leurs joues pendant que je dînais, pour me niaiser. Je me tassais, sans rien dire. Ils me harcelaient de plus en plus souvent. Ils me cherchaient sans arrêt. Je ne disais rien à personne. J'espérais que le temps arrangerait les choses. J'essayais de me faire oublier. Ça durait depuis longtemps et c'était de pire en pire. Quand tu es arrivé ici, j'ai su pour ton chien… pour Lumino…

Le visage de Thierry se crispa. Il serra le poing sur le manche de sa canne, si fort que ses jointures devinrent blanches.

— C'est dégueulasse ce qu'on t'a fait. J'ai trouvé que tu avais eu du courage, beaucoup plus que moi…

— Lumino est mort, coupa Thierry, la gorge serrée.

Il était tenté de lui dire de se la fermer…

— J'ai trop attendu.

La voix émue de son compagnon remua Étienne. Il ne savait plus s'il devait continuer. Mais il en avait déjà trop dit.

— Oui… C'est méga triste ton histoire. Tellement! Ça m'a donné un coup. J'ai compris que je devais réagir si je ne voulais pas qu'il m'arrive quelque chose de vraiment grave. Tu as réussi à tenir tête à tes tortionnaires et grâce à toi, ils doivent maintenant payer pour leurs méfaits.

Thierry garda pour lui ses craintes.

Arrivé près de leur salle de classe, Étienne lui confia :

— Toujours est-il qu'un soir j'ai raconté ton histoire à mes parents. C'est bête, mais je me suis mis à pleurer.

Le courage qu'Étienne démontrait en admettant, sans fausse honte, sa vulnérabilité remua Thierry. Il l'écouta avec plus d'attention.

— Mes parents ont compris que quelque chose n'allait pas. Ils m'ont posé des questions. On a parlé ensemble. Et alors, j'ai lâché ce que j'avais sur le cœur. Je ne l'ai pas regretté. Je leur ai tout dit! Je suis content de moi. C'est certain, mon père a crié, ma mère a pleuré. Mais tu sais ce qu'ils ont fait après? Ils sont allés rencontrer les parents des deux gars. Ça n'a pas été facile, mais les choses ont changé.

Depuis ils ne m'ont plus embêté, surtout que mon père m'a convaincu de me mettre à l'entraînement. Les gars ont compris que j'étais vraiment décidé à ne plus me laisser marcher sur les pieds. J'ai maigri, aussi! Et je me suis fait des amis au gym.

La dernière fois que des types ont essayé de m'intimider, je les ai regardés dans les yeux et, devine quoi? Je les ai traités d'enfoirés! Encore un peu, et je me pinçais pour croire que c'était bien moi qui avais dit ça. Voilà, c'est ça que je voulais te dire.

Étienne lui mit la main sur l'épaule et alla s'asseoir dans la classe.

Thierry était bouleversé par ce qu'il venait d'entendre. Il resta sur place, pendant que les élèves passaient près de lui pour entrer dans la classe. Le professeur s'avança vers lui. Le jeune aveugle se laissa conduire jusqu'à son bureau, sans éprouver d'agacement.

Il avait oublié sa peur d'être jugé comme un faible par son entourage.

À écouter Étienne, tout semblait simple. Oui, il suffisait de ne pas rester seul dans son coin. Pourquoi pas? Lentement, Thierry baissait la garde. C'était nouveau pour lui.

Mais si la menace de vengeance rôdait à nouveau, serait-il capable d'appeler au secours?

🐾 🐾

Dans le dédale de couloirs qu'il avait empruntés, personne n'avait fait attention à lui. La casquette enfoncée jusqu'aux yeux, Luc s'était retrouvé sans aucune difficulté à une table dans un coin de la cafétéria.

Un étudiant parmi d'autres. Il ne s'était pas trompé. Le va-et-vient des dîneurs qui se précipitaient vers le comptoir-lunch assurait son anonymat.

Luc Jordan avait pensé à tout. Le jeune homme savait qu'il devait être prudent : les sens très développés de Thierry pouvaient en faire un adversaire redoutable. Il avait même pris la peine de s'asperger d'une nouvelle lotion, très légère, pour éviter que le jeune aveugle ne le reconnaisse à son odeur. Il ne voulait rien laisser au hasard.

Pour rendre encore plus vraisemblable son personnage d'étudiant, il avait apporté un sac à dos. Il sortit un crayon et du papier, puis il se plongea dans un devoir imaginaire tout en grignotant des croustilles.

Les yeux mi-clos, la main appuyée sur son front, dissimulant ainsi une partie de son visage, il levait régulièrement la tête. L'image parfaite de quelqu'un qui réfléchissait. Il en profitait alors pour jeter un coup d'œil sur la salle, discrètement.

Il connaissait les habitudes de celui qu'il était venu épier.

Au premier trimestre, il s'était appliqué à le suivre partout. Il savait qu'il serait un des derniers à se rendre à la cafétéria.

Il vit enfin apparaître Thierry, le traître. Plus grand, plus mature. Il éprouva un vif ressentiment. Thierry était accompagné par un professeur qui le dirigea vers le comptoir-lunch puis l'aida à prendre place à une table. Après l'avoir salué, le prof quitta les lieux.

Thierry était seul, sans chien. Luc eut un sourire de satisfaction en constatant que Lumino n'avait pas encore été remplacé.

Tout était presque trop facile. Personne ne connaissait Luc dans cette école.

Luc Jordan rangea son cahier. Il prit une gomme à mâcher. Il se leva et, nonchalamment, se rendit à la table de Thierry... Il essaya d'imaginer la tête qu'il ferait si soudain il lui disait «Coucou, c'est moi, Luc!»

Assis près de lui, il eut l'impression d'être devant un déserteur qui avait été jugé coupable. Le moment viendrait pour lui faire savoir qu'il l'avait retrouvé. Pas maintenant.

«Si quelqu'un s'amène, je fiche le camp», pensa-t-il.

Un sentiment de puissance s'empara du jeune homme. Il ressortit ses feuilles et se mit à écrire, alignant les griefs qu'il retenait contre Thierry. Le jeu de la vengeance venait de commencer. Cet exercice l'amusa.

*Mon père ne me parle que de toi. Coupable.*
*Tu as tout fichu en l'air. Coupable.*
*Max est en prison par ta faute. Coupable.*
*J'ai perdu un chum. Coupable.*
*Éric a abandonné l'université par ta faute. Coupable.*
*La police n'arrête pas de me harceler. Coupable.*
*Coupable. Coupable. Coupable.*

«Moi aussi, je peux de te faire un procès. Je te défie de savoir d'où vient l'accusation! Juste pour rire», pensa Luc.

Il plia la feuille et la remit dans son sac.

Depuis sa comparution en cour, il avait imaginé plein de scénarios, mais aujourd'hui le cours des choses dépassait ses espérances.

Agir sous le nez de tout le monde, frôler celui que la police lui avait interdit d'approcher lui procurait une intense jouissance. Le corps légèrement tourné vers le jeune aveugle, il simula une complicité.

Il regarda la salle du coin de l'œil, s'assurant que son changement de place n'avait provoqué aucune curiosité chez les élèves. À peine quelques têtes s'étaient levées vers lui. Il était conscient de jouer avec le feu, d'où l'intérêt du jeu.

Il prit un autre bout de papier sur lequel il avait écrit des mots choisis avec soin. Le texte était rédigé en caractères d'imprimerie.

*Tu joues avec le feu et tu ne le sais pas.*
*Tu te laisses inviter au hockey, pourtant tu n'y vois rien.*
*Tu es idiot ou quoi! Tu n'es pas de taille, en tout cas.*
*Sois bon perdant et arrête ton jeu de chien battu.*
*C'est de la pitié et tu ne t'en rends même pas compte.*
*Tu n'as aucun droit sur cette fille. Elle s'occupe de toi par charité.*
*Retourne entre les quatre murs de ta chambre et*

*barricade-toi.*
*Ceux qui voient la vraie vie, laisse-les tranquilles!*

Il plia le feuillet en quatre et le mit dans la poche de son jean. C'était trop risqué. Il prit une troisième feuille. Un autre genre de message. Il en évalua l'impact. Un petit sourire apparut aux coins de ses lèvres.

Thierry avait laissé son sac entrouvert sur le siège. Luc sortit avec précaution une gélule de son propre sac. Il la tint au creux de sa main, invisible aux yeux de tous.

Très doucement, Luc se glissa près de Thierry et laissa tomber la gélule au fond de son sac, agitant au même moment ses feuilles sur la table afin étouffer le bruit.

Sans raison apparente, l'arrivée de cet inconnu à sa table avait provoqué des picotements dans le dos de Thierry. Il se désespéra de voir que sa méfiance ne le quittait pas.

L'adolescent tourna la tête rapidement vers l'intrus, agacé comme toujours par ces approches sournoises.

Luc sursauta, surpris par la soudaineté du geste. Il mastiquait sa gomme à mâcher bruyamment, de façon vulgaire.

Ce bruit incommoda le jeune aveugle. «*Aucune salutation*», se dit-il. L'odeur de son voisin de table lui était inconnue.

— Salut! Qu'est-ce que tu veux?

Il entendit un grognement comme réponse.

«Il m'a reconnu!»

Luc s'éloigna. Il fut tenté de déguerpir, mais se ravisa :

«Que tu es ridicule. C'est impossible qu'il t'ait reconnu. Imbécile! Tu te calmes et maintenant... vas-y.»

Luc respira profondément. Il jeta un coup d'œil dans la salle. L'incident était passé inaperçu et rien de compromettant ne s'échappait du sac. La gélule tenait le coup.

Encore sous le coup de l'émotion, il revint à la charge. Il s'approcha de Thierry. Il lui prit la main et y fourra le bout de papier qu'il avait ressorti de sa poche. Luc se voila discrètement la bouche et, tout en continuant de mâcher, lui dit très bas :

— De la part d'un gars que tout le monde admire. C'est mon pote. Je fais la commission pour lui.

— Qu'est-ce que tu dis?

La voix ainsi déformée le mit sur le qui-vive.

— Je vais te résumer la situation. Le gars ne veut plus de toi dans le décor. Il ne veut pas que sa blonde traîne avec un infirme. C'est clair? Des commérages commencent à circuler. Ça le rend très nerveux. Elle n'est pas au courant de ce petit mot, mais de toute façon c'est par pitié qu'elle a agi ainsi avec toi, pauvre... cloche! Tu ne vois rien, et pas juste avec tes yeux. Complique-leur pas la vie, minus! Ce bout-là, c'est de ma part.

Il prit ses affaires et s'en alla. Sur son passage, quelques filles reluquèrent ce nouveau à l'allure désinvolte et arrogante qui avait le visage à moitié caché par sa casquette. Il les ignora.

«Tu as fini de te la couler douce, Thierry Roy. Parole de Luc Jordan.»

Thierry se sentit profondément humilié par ce message. Sous le choc, son estomac se comprima, puis il sentit les battements de son cœur s'accélérer. L'adolescent tentait de comprendre ce qui venait de se produire. Tout s'était passé si vite. Il essayait de se rappeler le son de la voix. Sans succès.

C'était un son anormal d'une voix déformée. Le mâchonnement d'un chewing-gum était responsable de l'articulation grossière.

«Un gars que tout monde admire!»

Il revit en pensée à la soirée de samedi soir. Clovis. Admiré de tous. L'incident entre Roxanne et Clovis. La violence sous le murmure. Clovis était jaloux! Il était furieux que sa blonde soit avec lui.

«Il a fait semblant toute la soirée!»

Thierry fit tourner le bout de papier entre ses doigts fébriles. Il sentit monter en lui l'indignation en même temps que le désir violent de connaître le contenu du message.

«Clovis s'est mis en colère contre Roxanne samedi.

À cause de moi.»

Qui pourrait bien le lui lire? Il n'avait personne à qui le demander. Il fourra le bout de papier dans sa poche.

«Pas à Roxanne. Si elle ne sait rien de ce mot, je vais lui compliquer la vie. Je croyais que Clovis voulait être mon copain. Je ne suis pas assez bien pour lui? Roxanne est libre de choisir ses amis. Je ne peux pas croire qu'elle se laisse faire. Et si elle sait...»

C'est alors qu'il se remémora ce qu'avait dit Antoine, qui était assis près de leur table, lorsqu'elle l'avait invité.

«Une vraie Mère Térésa.»

«*De la pitié*», pensa-t-il, furieux.

La méfiance que lui avait inspirée cette invitation refit surface. Il n'avait pas sa place dans l'entourage d'un tel couple. Que s'était-il donc imaginé? Qu'enfin il aurait droit à un peu de bon temps avec des amis? Il s'était bien trompé.

D'accord. Il se tiendrait loin d'eux. Après tout, Clovis avait plein de copains et il n'était qu'une simple connaissance pour lui. Mais il aurait aimé que cela se passe autrement, sans cette menace qui s'ajoutait aux autres.

Dans le couloir, Luc croisa une jeune fille, mais elle ne porta pas un seul regard sur lui. Il se retourna pour la détailler avec soin. Éric avait été si précis dans sa description de Roxanne que le jeune homme n'eut aucun mal à la reconnaître.

«Waouh! Sexy! Méchant canon!»

Il jubilait en pensant au message qu'il venait de livrer à Thierry.

«Excellente stratégie, l'idée du petit copain jaloux. Eh bien, Éric, mon pote, ça t'arrive de penser avec ta tête, pas juste avec tes poings.»

Il se frotta les mains de satisfaction. En passant près d'une poubelle, jouant à l'élève bien élevé, il jeta sa gomme à mâcher. Il s'apprêtait à sortir, mais brusquement une idée germa dans sa tête. Il revint à la cafétéria. Il alla jusqu'au comptoir, s'acheta une bouteille d'eau et entreprit de la boire calmement. Il surveilla la scène de loin. Il s'amusait comme un fou.

La jeune fille se dirigeait droit vers la table de Thierry. Dans la spontanéité du geste, elle glissa sur le banc si près de lui que ce dernier sentit son épaule effleurer la sienne.

— Salut. Ouf! Je suis essoufflée, dit-elle en s'éloignant d'à peine quelques centimètres. J'avais hâte de te voir. J'ai eu peur que tu ne sois plus là. Je devais passer à la bibliothèque pour remettre un bouquin et…

Consciente que quelque chose n'allait pas, elle regarda son ami avec attention.

Encore ébranlé par ce qui venait de se produire, Thierry s'efforçait de terminer son dîner.

Il continua à manger sans dire un mot.

— Qu'est-ce qui se passe? Tu n'as pas l'air dans ton assiette. Il est arrivé quelque chose de grave?

L'appétit coupé, Thierry prit brusquement son sac, ferma la fermeture éclair, déploya sa canne et quitta la table.

— Thierry, qu'est-ce qui se passe? Attends.

Sans s'arrêter, l'adolescent sortit de la cafétéria sous les yeux amusés de Luc, savourant sa victoire.

Étonnée, Roxanne hésita un court instant puis se leva pour aller le rejoindre.

Luc leur emboîta le pas, tout en gardant une distance prudente. Il eut juste le temps de voir la jeune femme, parvenue à la hauteur du jeune aveugle, lui prendre le bras pour le forcer doucement à lui faire face.

Luc les dépassa, s'arrêta à une fontaine où il se pencha pour boire. Il laissa couler l'eau, la tête discrètement tournée vers eux puis alla s'asseoir sur un banc à proximité, entouré d'étudiants qui flânaient. Il fouilla dans son sac, prit un livre et fit semblant de lire. Cynique, il pensa :

«C'est tellement touchant. Cette espèce d'enfoiré, avec ses airs de chien battu, est encore en train d'essayer de séduire la petite. Il veut que les gens le remarquent? Il va être servi.»

Luc tendit l'oreille pour tenter de saisir leur conversation malgré le bruit environnant.

— Thierry, s'il te plaît, dis-moi…

— Merci encore une fois pour samedi, mais on en reste là, lui dit sèchement l'adolescent.

Le parfum de la jeune fille le troublait. Thierry avait mal. Il avait désiré être leur copain, mais on lui avait fait savoir que c'était impossible. Impossible aussi de nier son attirance pour elle, ce qui donnait peut-être raison à Clovis Gagnon.

— Je pense que c'est mieux pour tout le monde. Je n'ai besoin de rien ni de personne. Surtout pas de pitié. Salut.

Thierry fit un pas de côté et continua son chemin, laissant Roxanne interdite.

— Mais…

L'indicatif musical annonçant la reprise des cours se fit entendre.

Assis à son bureau, Thierry tournait et retournait entre ses doigts le bout de papier. Si on avait cherché à le blesser, le but était atteint. Qu'on ne veuille pas de lui comme ami était déjà assez pénible, mais pourquoi fallait-il en plus qu'on le rabaisse en lui rappelant son incapacité à lire un simple petit message?

«Je n'aurais jamais dû accepter l'invitation!»

La pensée que Roxanne pouvait se moquer de lui était insupportable.

— Thierry? Thierry Roy!

Surpris, l'adolescent fut ramené à la réalité.

— Pardon, Madame.

— C'est rien. Tu veux sortir ton matériel, s'il te plait? Le cours commence.

Sans attendre, il s'exécuta. Il ouvrit son sac.

Une odeur pestilentielle se répandit dans la classe. Elle lui donna un haut-le-cœur qu'il ravala à grand-peine.

Il entendit un remue-ménage autour de lui. Les étudiants les plus proches quittaient leur siège en vitesse en maugréant :

— Pouah! Dégueulasse! Qu'est-ce que ça sent?

— Ça pue la charogne! Madame! Ça vient de là!

— Moi, je sors sinon je vais vomir! s'exclama une jeune fille. Ça empeste!

Thierry devinait qu'on le pointait du doigt. Quelqu'un lui avait joué un sale tour.

— Tout le monde se calme! Thierry, qu'est-ce que tu as dans ton sac?

Malgré sa propre répulsion, la professeure tenta d'apaiser le climat de la classe.

— Il a oublié un morceau de fromage dans son sac, lança un petit plaisantin.

En se bouchant le nez, les élèves s'esclaffèrent.

Humilié, le jeune aveugle baissa la tête. Il glissa la main vers le fond de son sac et la ressortit aussitôt. Une substance huileuse et gluante collait à ses doigts. L'odeur de pourriture s'accrochait à lui.

C'en était trop pour l'adolescent.

Il referma son sac en vitesse, prit sa canne et se leva.

— Reprenez vos places. Je sors quelques instants avec Thierry. J'espère que personne dans cette classe n'est responsable de ce tour de mauvais goût!

Thierry n'écoutait plus. Sans attendre, il partit.

— Je viens, Thierry. Je vais t'aider.

D'une voix oppressée, il lança :

— NON! Je veux qu'on me laisse tranquille!

Il s'empressa de se rendre à la salle de bain, trainant avec lui cette odeur écœurante.

Il avait pensé pouvoir se joindre aux autres élèves, mais on n'avait pas tardé à lui faire comprendre qu'il n'était pas le bienvenu.

Il tourna en rond, cherchant à se calmer.

Il voulait être seul. Seul, pour pouvoir laisser libre cours à sa peine. Seul, pour ne pas afficher sa honte. Il suffoquait.

Il laissa tomber son sac par terre, s'agenouilla et entreprit de le vider au plus vite.

Il entendit la porte s'ouvrir. L'odeur qui l'enveloppait faisait obstacle à toute autre perception sensorielle.

Il resta immobile, souhaitant que la personne qui venait d'entrer fasse demi-tour. Au contraire... Les pas se rapprochèrent de lui, tout contre lui. Il sentait qu'on le regardait sans rien dire. Pourquoi?

Enfin les pas s'éloignèrent. Lorsque la porte

fut refermée, Thierry entendit un éclat de rire... Abattu, il se laissa tomber par terre.

Le mal de cœur lui ramena à l'esprit un souvenir d'horreur. Il revit Maxime Thériault collé sur lui, prêt à le violer. Il répandait la même odeur pestilentielle.

Maxime Thériault.

Juste à l'évocation de son nom, des sueurs froides lui coulèrent dans le dos.

« Je déraille. Il est en prison. »

Il s'efforça d'écarter de son esprit cette hypothèse.

Le messager avait été clair. Clovis avait écrit ce texte.

Pouvait-il être assez méchant pour l'écraser de cette façon par l'entremise d'un copain ? Un copain sans cœur, capable d'accepter pareille mission ? Capable de venir le relancer à l'école ? L'adolescent n'avait plus aucun doute : c'était le porteur de message qui se tenait là, un moment plus tôt.

Thierry espérait de tout son cœur que Roxanne n'y était pour rien. L'idée contraire le révoltait.

« Peu importe qui a fait le coup, c'est écœurant ! »

La porte s'ouvrit à nouveau. Il tourna le dos afin de cacher son visage.

— Thierry, tu vas me laisser t'aider.

Il reconnut sa professeure. Cette dernière le força à se mettre debout.

— Laisse-moi faire, Thierry. Va te laver les mains, je m'occupe de ton sac.

Cette fois, il ne résista pas.

— Tous les élèves de la classe m'ont assurée n'y être pour rien. Tu le crois ?

Pour toute réponse, Thierry haussa les épaules.

— Qui t'a joué ce mauvais tour ? Tu as une idée ?

L'adolescent secoua la tête, cherchant à cacher son émotion.

— Tu veux que j'appelle tes parents ?

— Non !

Son ton fut plus agressif qu'il ne l'aurait voulu.

— Tu me promets de tout leur raconter ?

— Hum ! répondit-il sans conviction en hochant la tête.

Thierry entendait les efforts que faisait sa professeure pour tout nettoyer.

— Il me semble que l'odeur est moins forte. Tu n'as vraiment aucune idée sur... ?

— J'ai dit non ! Désolé.

Il disait la vérité. Il avait côtoyé plein de monde durant le dîner. N'importe qui aurait pu lui jouer ce mauvais tour. L'intermédiaire idiot de Clovis, par exemple.

Si on tentait de l'éloigner de Roxanne en provoquant chez lui de violentes réactions de suspicion, c'était réussi.

Le jeune aveugle ne voulait plus retourner en classe.

— Tu n'as pas à avoir honte, Thierry. Ce n'est pas ta faute. Reviens en classe. Ce n'est qu'une mauvaise blague, très bête, mais une blague. Ne te laisse pas intimider. Le premier qui se moquera de toi aura affaire à moi.

Il entendit sa prof poursuivre tout bas :

— Ce serait vraiment minable...

Le bout de papier dans le fond de sa poche le blessait encore plus que cette merde qu'on avait mise dans son sac.

Luc quitta l'école rapidement pour ne pas éveiller de soupçons. Confortablement installé au volant de sa voiture, il imagina la situation provoquée par la gélule. Il s'amusa à deviner comment Thierry avait réagi.

«Pourvu qu'elle ait pété», ricana Luc.

Le vendeur à la boutique de farces et attrapes où il s'était procuré la gélule lui avait assuré que cette huile était très volatile et que l'odeur diminuerait rapidement, ne laissant aucune trace.

— C'est suffisant. Après tout, c'est juste une petite plaisanterie que je veux faire à un ami, avait répondu Luc, le plus simplement du monde.

— J'espère qu'il entend à rire ton ami, sinon tu vas le perdre. Ça empeste. J'aime mieux te prévenir.

Luc rigola.

Il démarra et erra en ville sans but précis. Il avait quelques achats à faire durant son attente, comme aller s'acheter une nouvelle casquette pour ajouter à sa collection, mais surtout pour diminuer les chances qu'on le reconnaisse.

À la fin des cours, Luc revint stationner sa Civic sur une rue parallèle à celle où circulaient les autobus. Il attendit, sa nouvelle acquisition enfoncée sur la tête.

Il repéra rapidement Thierry. Le jeune aveugle était seul. Personne ne se tenait à proximité sinon quelques élèves qui ne se gênaient pas pour se boucher le nez ou qui s'éloignaient rapidement avec une mimique peu aimable, sachant que Thierry ne pouvait les voir.

La jeune fille qu'il avait aperçue ce midi n'était pas là.

Jordan imagina l'odeur qui flottait encore autour de lui. La gélule avait vraiment donné le résultat escompté. Le visage du jeune aveugle en disait long aussi, exprimant son écœurement. Satisfait, Luc sortit un petit calepin et nota soigneusement :

Premier objectif : Rien d'illégal. Atteint.

Deuxième objectif : Le chouchou perd de sa popularité. Atteint.

Pointage : Luc : 10 Thierry : 0

«Ne sois pas inquiet, mon vieux, je suis honnête. Si tu me bats, je te donnerai tes points. Ah, j'aimerais tellement ça lui faire savoir que c'est moi… mais une étape à la fois.

144

Étape réussie. Suivante.»

Pour Thierry, même si l'odeur était devenue supportable, les relents dans son sac lui rappelèrent tout l'après-midi que quelqu'un cherchait à l'isoler des autres.

Dans l'autobus, le siège à ses côtés resta vide. Il entendit même le chauffeur marmonner une remarque à voix basse.

La facilité avec laquelle on pouvait le berner l'accabla à tel point qu'il se demanda s'il valait la peine de lutter.

«Éric Moisan... Pourquoi je pense encore à lui? Et à Max, tantôt. Tu délires, mon pauvre, pensa-t-il. Quel rapport entre cette histoire avec Clovis et Roxanne et la menace de mes anciens tortionnaires?»

Plus il tournait la question dans sa tête, plus Roxanne s'imposait à son esprit. Pourquoi lui avait-elle demandé de ne rien dire de sa dispute avec Clovis?

Il ne supporterait pas de vivre avec la peur au ventre.

«J'ai déjà assez de problèmes comme ça. Mais... si c'était Roxanne qui avait besoin d'aide? Non, ce n'est pas possible, pas elle!»

Si Clovis était bien l'auteur malfaisant de cette lettre, la conclusion paraissait claire dans l'esprit de Thierry.

«Il pourrait faire bien d'autres choses. Ou Roxanne ne connait pas vraiment Clovis ou elle cherche à le protéger.»

# Chapitre VIII

*Fausse route*

Arrivé chez lui, Thierry abandonna son sac grand ouvert sur le perron, en espérant que l'air frais élimine toute trace d'odeur. Il était épuisé. L'espoir d'une vie normale, que la dernière fin de semaine lui avait fait miroiter, s'était évanoui. L'adolescent n'avait pas envie de raconter sa journée à ses parents. À quoi bon parler du message ? Si on avait décidé de l'écarter, personne n'y pouvait rien. Ses parents ne pourraient obliger personne à l'aimer.

«À la nouvelle école comme à l'ancienne, il y aura toujours quelqu'un pour m'écœurer.»

Il entra. La maison était silencieuse. Il était seul, comme tous les jours à pareille heure. Thierry ne mangea rien de la collation que sa mère lui avait préparée. Il la mit dans un sac de plastique, la fourra dans ses poches et ressortit. Il avait besoin de s'aérer l'esprit. Il espérait qu'Ami soit au rendez-vous.

Il y avait au moins un être qui comptait sur lui. Tout ce que la bête voulait, c'était un peu de nourriture, et lui tout ce qu'il demandait, c'était une présence, même muette. Il parlerait de Lumino à son nouvel ami. L'adolescent avait mal.

— Lumino…, murmura-t-il.

Son pouls s'accéléra et sa voix s'étrangla, comme chaque fois qu'il prononçait ce nom à voix haute, s'exerçant à apprivoiser l'absence de son chien. Mais aujourd'hui, cette douleur, il ne la craignait plus. Elle avait fait apparaître avec intensité l'image rassurante de son chien. Elle lui permit de fuir son quotidien.

Parvenu près de la maison de Lucien Blouin, Thierry entendit la porte s'ouvrir. Il haussa les épaules. Résigné, il se dit :

« Comme d'habitude. Voilà la fouine. »

— Salut, mon garçon. Bonne journée ?

Thierry ne répondit rien et continua son chemin. Il remarqua que la voix du vieil homme était différente.

— Fais attention. La nuit dernière, il y avait une voiture stationnée pas loin d'ici. J'ai trouvé ça suspect. J'ai failli appeler la police. Es-tu allé veiller samedi soir ?

« Il m'énerve ! Toujours le nez collé à la fenêtre, celui-là. »

— Deux autos pour aller te reconduire chez toi. Tu es populaire !

« Deux ! Je n'avais pas rêvé. »

Lucien Blouin se tut. Après un long silence, il lui lança en élevant la voix, car le garçon s'était éloigné :

— Ne cherche pas le chien. Ils l'ont embarqué cet après-midi.

Le jeune aveugle s'arrêta brusquement, puis revint sur ses pas.

— Ah! Non… Qui a fait ça?

Sa voix ressemblait plus à une supplication qu'à une question.

— J'ai vu arriver le camion de la fourrière municipale. Ils étaient deux à l'intérieur. Les gars ont lancé un morceau de viande au chien et ils ont attendu dans le véhicule. Puis j'ai vu le chien s'approcher. Ils l'ont attrapé. Laisse-moi te dire que le chien s'est débattu comme un beau diable.

— Oh non! Pas vrai? Qui leur a dit pour le chien? C'est vous? demanda Thierry, hors de lui. Vous ne vous mêlez jamais de vos affaires, hein?

— Je suis désolé. Je m'excuse.

— Je m'en fous de vos excuses. Vous n'aviez pas le droit de nous faire ça. C'est mon seul ami!

— Tu veux m'écouter?

Le vieil homme fut désarçonné devant la réaction excessive de l'adolescent. Le désarroi du garçon l'inquiétait.

Thierry l'entendit descendre les marches et s'approcher de lui.

— Non! dit-il en se remettant à marcher pour s'éloigner de lui.

Lucien Blouin le suivit en clopinant, essoufflé.

— Un employé de la municipalité, Georges Ouellette, est venu chez moi aujourd'hui. Un gars que je connais bien. Il a reçu un appel anonyme d'une personne qui se plaignait de la présence d'un chien errant dans le coin. Elle en a fait tout un plat! Soi-disant que Georges était incompétent, que la municipalité était irresponsable, qu'elle ne se sentait pas en sécurité. Bla! Bla! Georges se doutait que je pouvais être au courant de quelque chose. Il m'a demandé si c'était vrai, cette histoire de chien errant. Je ne pouvais pas mentir. J'ai dit que j'avais aperçu un chien sur le sentier, mais que je n'avais vu personne se faire agresser.

Thierry perçut le regret sincère dans la voix de M. Blouin. Ce dernier s'immobilisa afin de reprendre son souffle, puis lui dit :

— Je n'avais pas le choix. Je te le jure. Il y a autre chose aussi… Georges m'a demandé si je te connaissais.

— Moi! Pourquoi?

— La personne qui a téléphoné à George lui a dit que c'était toi qui t'étais plaint à elle. C'est vrai?

Le jeune aveugle se tourna brusquement vers lui.

— Quoi? Elle a menti! C'est qui cette personne?

— Georges ne me l'a pas dit.

Thierry eut du mal à encaisser le coup. Quelqu'un avait déformé ses paroles. Il secoua la tête, estomaqué par cette nouvelle méchanceté.

— Je lui ai dit, moi, à Georges que ce n'était pas vrai, qu'il ne te faisait pas peur, ce chien. Il m'a répondu que selon lui la personne qui avait porté plainte avait raison, que c'était une situation dangereuse et qu'il devait en tenir compte.

Thierry regrettait amèrement d'avoir parlé.

Une question lui brûlait les lèvres.

— Qu'est-ce qu'ils font avec ces bêtes qu'ils ramassent?

— Bien... Hum... Oui... Je l'ai demandé à Georges. Il m'a dit qu'un chien sans maître comme lui, et dangereux sera euthanasié si personne ne le réclame.

Le vieil homme vit des larmes apparaître aux coins des yeux de l'adolescent. Il en fut tout retourné. Ravalant sa peine, il répéta :

— Ne le prends pas comme ça. C'est juste un chien tout efflanqué qui a eu assez de misère de même. Tout compte fait, je pense que c'est mieux comme ça! Tu ne crois pas?

Lucien cherchait des mots pour le réconforter. Il eut l'impression de parler dans le vide. Le jeune aveugle ne l'écoutait plus.

— Il est tout seul. Personne n'ira le réclamer. Qu'est-ce que je peux faire pour l'aider? Je suis tout seul, moi aussi.

Un attrait puissant et mystérieux le poussait à agir. Il n'abandonnerait pas ce chien. Il devait à tout prix le sauver. L'histoire ne se répèterait pas. Se ressaisissant, Thierry déclara avec fermeté :

— Je dois faire quelque chose. Vous pouvez me donner le numéro de téléphone de la fourrière ?

Lucien resta songeur quelques instants.

— Tu veux entrer ? Je vais appeler Georges pour savoir s'il n'est pas déjà trop tard.

Une vive inquiétude envahit le jeune aveugle.

— Vite, supplia-t-il, en s'approchant de Lucien.

❧ ❧

— Fais ça pour moi, Georges. Oui, je l'ai vu, le chien. Mais le jeune est tout à l'envers...

Thierry, debout près de la porte, écoutait la conversation. Il réalisait que l'urgence du moment lui avait fait oublier toute logique.

Maintenant qu'il y réfléchissait, il comprenait que sa démarche n'avait pas de sens. Que ferait-il avec un chien étranger, dans sa condition ? Ses parents s'opposeraient sûrement à son adoption.

Mais Thierry balaya ses hésitations.

Cette plainte, ce n'était pas une coïncidence. Quelqu'un cherchait à l'embêter. Quelqu'un voulait lui enlever son ami. Qui que ce soit, il n'aurait pas le dernier mot, cette fois. C'était un pari fou, mais tant pis. Il devait agir maintenant. Il réfléchirait plus tard.

— Merci, Georges. Je te revaudrai ça.

Lucien raccrocha.

— Qu'est-ce qu'il a dit?

— D'abord, t'as entendu, le chien est toujours à la fourrière.

L'adolescent soupira de soulagement.

— Georges n'a pas été facile à convaincre. Il pense que c'est une bête vicieuse. Il ne comprend pas que tu aies pu l'approcher. Il a fini par accepter d'attendre jusqu'à demain soir, pas plus tard, avant de faire quoi que ce soit.

La voix un peu bourrue, Lucien Blouin s'inquiéta :

— J'espère que tu sais ce que tu fais. Georges est formel. Tu dois être accompagné d'un de tes parents pour aller le chercher.

— Oui, oui. D'accord.

Thierry ouvrit la porte et au moment de la franchir, il parvint à dire d'une voix claire :

— Merci.

Puis il s'en alla.

Lucien le regarda s'éloigner par la fenêtre en se parlant à haute voix :

— Tu as entendu, mon Lucien, il t'a remercié. Je suis fier de toi. Mais je pensais pas qu'il serait aussi affecté par la perte de ce chien-là. T'es trop vieux pour comprendre les jeunes. Surtout ce jeune-là.

De retour chez lui, Thierry ramassa son sac et entra dans la maison. Le bon air avait fait le travail.

Il ne restait plus qu'une légère odeur. Mais l'odorat fin de l'adolescent la décelait toujours. Avec rage, il laissa tomber son sac dans l'entrée et alla jeter la nourriture qu'il avait apportée.

«Qu'est-ce qui m'arrive encore? Comment vais-je faire pour convaincre papa et maman?»

Assis à la table de la cuisine, les deux mains posées à plat devant lui, Thierry tentait de retrouver son calme. Il avait l'impression que le sort s'acharnait contre lui.

Il se concentra sur sa volonté de sauver le chien. Ami lui donnait le goût de se battre. Pour le reste, il avait le moral à zéro. Il ne savait pas comment il annoncerait sa décision à ses parents. La partie était loin d'être gagnée.

Dès qu'il entendit la voiture s'engager dans le stationnement, l'adolescent bondit vers la porte, impatient. Ses parents avaient à peine passé le seuil, qu'il alla droit au but et leur exposa la situation.

Philippe s'emporta :

— Qu'est-ce qui t'a pris? Thierry! D'abord, il vient d'où, ce chien-là?

— Je ne sais pas. Je m'en fiche. C'est mon copain.

— Tu refuses un chien-guide, mais tu veux adopter un chien errant, dit Laurence complètement dépassée.

— Maman, au début c'est pas moi qui le voulais, ce chien, c'est lui qui m'a suivi. On ne dérangeait personne. Une bête abandonnée qui s'attache à moi, c'est pas grave. Quelqu'un qui m'aime sans faire d'histoire…

Thierry se tut.

Sa mère lui toucha la main et la pressa chaleureusement :

— Ne dis pas ça. Nous ne faisons pas toujours des histoires, voyons. Nous sommes inquiets pour toi.

Résolu à les convaincre, Thierry insista.

— Le terrain est grand, ici. On pourrait installer une niche et je m'occuperais de le nourrir. Il est très obéissant. Je lui ai touché le bout du museau sans problème.

— Quoi ? C'était dangereux ! s'exclama sa mère.

— Il n'est rien arrivé. Je ne voulais pas en parler parce que je savais qu'alors vous ne voudriez plus que je me promène sur le sentier. Je lui ai donné à manger pour l'aider à survivre. Et en retour, je pouvais lui parler. Mais là, c'est différent.

— Tu vois ? Toi-même, tu te rends compte que ce n'est pas réaliste.

À bout d'arguments, Thierry s'enflamma :

— Vous ne comprenez pas. Faut-il toujours mettre des mots sur ce que l'on ressent ? Je crois que quelqu'un veut se venger de moi.

Ses parents se regardèrent, inquiets.

— Passons à la cuisine, ensuite Thierry, tu t'expliques. Et cette fois-ci, tu ne nous caches rien! ordonna Philippe, en colère.

Thierry avala difficilement, la gorge sèche. Le jeune aveugle raconta ses inquiétudes, faisant ressortir le sentiment de danger rôdant autour de lui. Il omit de mentionner le message qu'il attribuait à Clovis, espérant encore avoir la chance de s'expliquer avec Roxanne. Il lui avait fait une promesse. Alors comment pouvait-il en parler sans trahir sa parole?

— Et puis, je ne sais plus, un tas de choses… La carte de fête anonyme, la voix d'Éric que j'ai cru reconnaître, une voiture suspecte samedi soir et dimanche matin. Maintenant quelqu'un ment en disant que c'est moi qui ai porté plainte. C'est faux! Et il y a quelqu'un qui me surveille, même à l'école.

« Comme si cette personne savait à quel point une nouvelle perte raviverait l'ancienne », pensa-t-il.

— Mais qui était au courant pour le chien à part M. Blouin? demanda son père, à la fois soucieux et agacé.

Thierry se sentit coincé. Il hésita avant de répondre. Puis il dut reconnaître, d'un ton amer :

— Plein de monde. C'est moi qui en ai parlé à l'aréna…

— Bon! Voilà! Tu l'as dit à tout le monde, sauf à nous. Essaie d'avoir un peu plus de jugement, mon fils. Il en va de ta sécurité.

Il entendit sa mère soupirer profondément, ce qui le mit hors de lui.

— Je sais, tu ne voulais pas que j'y aille! Ça donne quoi de tout vous expliquer? Je ne suis pas à la hauteur? Une fois de plus? Si je dois rester enfermé dans ma chambre pour que vous soyez satisfait, j'aime autant...

— Thierry! Thierry! Arrête! Non, ce n'est pas ça. Tu avais promis de tout nous raconter. Arrête ces insinuations.

L'adolescent ne releva pas cette remarque. Il devait éviter une confrontation avec son père s'il voulait avoir son accord. Bouillant de colère, Thierry se tut le temps de reprendre son souffle. Il continua son récit plus calmement, sentant les yeux de ses parents sur lui.

— Un gars m'a dit aujourd'hui à l'école que ça aide de parler. Moi, je ne vois pas en quoi. Je ne vois jamais rien, de toute façon, ajouta-t-il, cyniquement.

Thierry commençait à douter de son propre raisonnement. Il bafouillait, déstabilisé, il se rappela avoir pensé à Max en nettoyant son sac.

— Et... et... quelqu'un s'est moqué de moi à l'école aujourd'hui. C'est bête, et ça m'écoeure!

Thierry leur narra le fâcheux incident de la gélule.

— Tu as fait quoi avec la capsule? La police peut l'analyser.

— Je n'y ai pas pensé. Ma prof l'a jeté dans les toilettes. J'ai encore manqué de jugement, hein?

Sur ce, il se leva et alla se réfugier dans sa chambre en claquant la porte.

Il avait le goût de tout casser. Il n'avait sa place nulle part. Il était en colère contre lui-même et contre son impuissance. Il était peut-être trop idiot pour se faire de vrais amis? Quelle folie d'avoir cru que les choses seraient plus faciles!

Le cœur serré, Laurence capitula.

— Philippe, il a besoin de se rattacher à quelque chose. Je croyais qu'il remontait la pente, mais maintenant j'en doute. Pourquoi ne pas adopter ce chien?

Philippe Roy vit la lassitude dans le regard de sa femme.

— Non, Laurence! Qu'est-ce qu'on va en faire? L'attacher au fond de la cour?

— Je ne sais pas, mais ce n'est qu'un chien. Laissons à notre fils la chance d'essayer de l'apprivoiser. On avisera au fur et à mesure. Un essai. Explique la situation quand tu iras chercher le chien à la fourrière.

À cet instant, le téléphone sonna. Philippe prit la communication. De sa chambre, Thierry écouta la fin de la conversation.

— Oui, je sais, mon fils nous a mis au courant. Nous allons passer. Oui, tout de suite. Merci. Au revoir.

L'adolescent sortit en vitesse de sa chambre. Son père freina son enthousiasme.

— Pas trop vite. Je veux le voir avant de prendre une décision. Tu peux remercier ta mère. Je persiste à croire que c'est de la folie.

La fourrière municipale logeait dans un grand entrepôt où se trouvait aussi le bureau de Georges Ouellette qui faisait office de réception.

— Je peux vous aider ?

— Philippe Roy et voici mon fils, Thierry. Nous venons pour le chien.

Un comptoir encombré de dossiers séparait Philippe Roy et Thierry de Georges Ouellette. Ce dernier dénicha un formulaire afin de consigner par écrit la demande d'adoption. Sans gêne, il dévisagea le jeune aveugle.

— Thierry Roy ? On m'a dit que la plainte venait de toi.

— C'est faux !

— Savez-vous enfin qui a appelé ? demanda sèchement Philippe Roy, qui n'aimait pas la façon dont l'homme dévisageait son fils.

Le préposé ramena son attention sur lui.

— Pardon ? Hum, non. Écoutez, ce chien-là ne convient pas à votre fils, monsieur. Je m'y connais.

— J'en jugerai par moi-même.

— Bon, comme vous voulez. Suivez-moi.

Georges les fit passer derrière le comptoir et ouvrit la porte du chenil.

— Quelqu'un vous a-t-il dit de quelle race était le chien, Monsieur ? dit l'homme en élevant la voix afin de couvrir le tapage que faisaient les bêtes captives.

— Non.

Philippe avait un mauvais pressentiment. Parvenu près des cages dont quelques-unes seulement étaient occupées, Georges leva le bras et, sans dire un mot, désigna un chien. Celui qui, à leur arrivée, s'était jeté contre le grillage en aboyant férocement.

Philippe Roy resta sans voix.

— Papa ? Tu le vois ? Il est comment ?

Haussant la voix à son tour, Thierry appela, d'une voix joyeuse :

— Ami ? Je suis là ! Je viens te chercher.

Le chien cessa d'aboyer et s'assit.

— C'est impossible, laissa échapper Philippe.

Thierry s'impatientait, agacé par ces hésitations. Il voulut approcher de la grille sans l'aide de son père.

— On l'emmène.

— Arrête ! Ne bouge plus.

Philippe prit prestement le bras de Thierry et l'attira vers la sortie.

— On sort d'ici. Il n'est pas question qu'on adopte ce chien.

Témoin de la nervosité du père, Georges rassura Philippe.

— Il n'y a pas de danger. Vous pouvez vous approcher. La cage est solide.

Puis il s'adressa à l'adolescent :

— Il a cessé de japper, enfin.

Georges raconta la difficulté qu'il avait eue à l'approcher.

D'un geste de l'épaule, Thierry se dégagea de la prise de son père.

— Je veux savoir ce qui se passe. Je peux…

— Thierry, c'est un doberman.

Le jeune aveugle, qui avait levé la main vers le grillage, la laissa retomber. Il recula d'un pas.

— Un doberman avec une cicatrice au cou ! continua son père.

Une vague glaciale submergea Thierry. Il murmura, incrédule :

— Perçant !

Aussitôt la bête se mit sur ses pattes et pencha la tête sur le côté, le regard fixé sur Thierry.

Abasourdi, Thierry répéta en reculant encore d'un pas :

— Perçant ? Non !

La bête émit un petit son, comme un sifflement plaintif.

Perçant ! Le chien que Lumino, son brave bouvier, avait terrassé avant de se faire tuer par Max. Perçant était vivant ! Il avait voulu sauver le chien de Max. Il s'était lié d'amitié avec le chien de Max !

— On dirait que tu as deviné son nom. J'ai jamais vu ça! Tu dois avoir un don, c'est certain. S'il y a des chiens gentils qui sans raison deviennent agressifs, je présume que le contraire peut arriver. Plus rien ne me surprend.

Cloué sur place, Thierry semblait indifférent à ces paroles. Il prit le bras de son père et lâcha :

— Faites-en ce que vous voulez. Tuez-le! Je m'en fous!

Ce revirement soudain surprit Georges Ouellette. Sans hésiter, Philippe conduisit Thierry vers la sortie, prenant à peine le temps de saluer le préposé. Ils entendirent Perçant s'agiter derrière eux et aboyer de plus belle.

Georges se rendit à la fenêtre de son bureau et il les vit monter dans l'auto.

— Et voilà. Un autre chien qui n'a pas eu de chance. Je m'en doutais.

Mais la voiture restait sur place.

— Pourquoi ils ne partent pas?

— S'il te plaît, papa, attends. Une minute.

— NON! Ces bêtes n'ont qu'un seul maître.

— S'il te plaît!

Philippe regardait son fils, essayant de comprendre. Il devinait le conflit intérieur qu'il vivait.

Thierry était dépassé. Le souvenir de Lumino l'habitait. La douleur causée par l'absence de son compagnon était encore si vive.

Pourtant la bête qu'on allait euthanasier lui faisait pitié. Thierry chercha à chasser cette pensée. Pour aiguillonner sa rancœur, il se répétait :

«C'est le chien de Max!»

Jamais il n'aurait cru pouvoir éprouver une once de pitié pour cette bête. Il se trouva insensé.

«C'est le chien de Max!»

Rien n'y fit. Il se rappela l'élan de tendresse qu'il avait ressenti pour la bête au moment où elle lui avait frôlé la main…

C'était Perçant! Ce chien aurait pu l'attaquer.

Dans son ultime combat, Lumino avait eu raison de Perçant. Ce dernier avait trouvé son maître en Lumino. Et ce n'était pas Perçant qui avait tué son compagnon, mais Max! En évoquant son nom, Thierry se rappela que cet homme frappait souvent son chien. Il l'avait dressé pour se battre, et il s'était battu. Puis on l'avait rejeté sans se préoccuper de ce qui lui arriverait. On s'était débarrassé de lui de façon cruelle.

Lui et Perçant étaient deux éclopés parce que Maxime Thériault était un jour passé dans leur vie, comme un rouleau compresseur.

— Thierry, ne te culpabilise pas, dit calmement Philippe en rompant le silence.

— Il ne m'a jamais menacé. Il aurait pu me tuer dans le boisé. Je sais que c'est ridicule ce que je vais dire, mais quelle revanche j'aurais sur Max en adoptant Perçant et en faisant mon…

Il faillit dire «ami», mais il en était incapable.

— Mon allié.

Un étrange sentiment de puissance habita le jeune aveugle. Une vengeance qui faisait triompher la vie et non la mort...

— Tu es extraordinaire, fiston. Jamais je n'aurais pensé que tu raisonnerais de cette façon. Je devrais m'opposer catégoriquement, pourtant... je suis fier de toi. Mais ne crois pas qu'il puisse remplacer un chien-guide.

— Non, je sais. Mais il ne faut pas qu'on le tue. Je veux l'adopter. Je sais que c'est risqué. Ce sera tout un défi! Imagine un doberman près de la maison et, sur sa niche, bien visible, une affiche avec l'inscription : attention chien très méchant. Cela devrait décourager les indésirables, comme les journalistes trop curieux, par exemple.

Secrètement, l'adolescent pensa :

«Dommage que je ne puisse pas l'amener à l'école. Je leur montrerai, à ceux qui veulent rire de moi, ce dont je suis capable.»

— Ah! Thierry, c'est dangereux.

Philippe Roy n'était pas convaincu. Il devait évaluer tous les risques.

— On retourne le chercher. Papa, s'il te plaît.

— Tu es certain que c'est ce que tu veux?

— Oui!

— Tu te sentiras en sécurité?

— Oui !

— Mais le problème, et il est de taille, sera de faire accepter ça à ta mère.

— Je sais.

Le père de Thierry informa Georges Ouellette qu'il viendrait chercher le chien le soir même. Pressé par son horaire, il lui demanda de s'occuper de tout et de ne négliger aucun détail. Il l'assura qu'il assumerait tous les frais : examen médical, plaque d'immatriculation, niche, muselière, et quoi encore ?

Georges Ouellette se montra efficace et prévoyant. Il les informa que le vétérinaire était déjà passé voir le chien durant la journée. La plaie était en voie de guérison malgré l'aspect rebutant de la cicatrice qui donnait une apparence encore plus redoutable à la bête.

Le préposé les avertit que ce chien ne devait sentir aucune faiblesse de la part de son nouveau maître.

— Monsieur Roy, je mentirais si je vous disais que je comprends le phénomène, mais ce chien-là a trouvé un maître en votre fils. Soyez quand même sur vos gardes. Cette bête peut tuer.

Ces derniers mots ébranlèrent Philippe Roy.

« Je fais une bêtise ! »

🐾 🐾

Laurence pensa être victime d'une hallucination en voyant débarquer du camion l'imposant doberman.

Son mari s'empressa de lui raconter ce que Thierry lui avait dit pour le convaincre. Elle ne voulut rien entendre.

— Philippe! Pourquoi as-tu accepté? C'est toujours pareil! C'est incroyable. Tu exiges que ton fils se surpasse.

— Non, tu n'y es pas. C'est sa décision! Je t'assure!

— Tu étais le premier à t'y opposer. Un chien errant, c'était déjà de la folie. Mais, là... À quoi as-tu pensé? Le doberman de Max! Tu aurais dû refuser. Je ne veux pas que Thierry coure le moindre risque, tu m'entends? Ce chien est un monstre.

— Moi non plus, je ne veux pas qu'il coure de risque.

— On nage en plein délire. Thierry ne reste pas à côté de cette bête!

— Calme-toi et regarde bien. Allez, Thierry, rassure ta mère.

Le jeune aveugle était silencieux. Il demeura un long moment sans bouger devant Perçant, très droit, maître de lui-même. Pourtant son esprit était en proie à une intense agitation,

Le doberman ne montrait aucune agressivité. Il était assis, en attente d'un commandement. La chaîne qui le retenait pendait mollement près de lui.

«Aucune faiblesse. Aucune peur. La force tranquille de Lumino», pensa Thierry, le cœur battant à tout rompre.

Il s'avança vers la bête.

«*Lumino vient m'aider!*» implora-t-il silencieusement.

À cet instant, il eut la conviction que son bouvier se tenait entre lui et Perçant, assurant encore sa protection. Il crut même sentir son pelage sous ses doigts.

Laurence et Philippe ne quittaient pas la scène du regard, hypnotisés par ce qu'ils voyaient, se tenant prêts à intervenir au moindre signe de danger.

Thierry ordonna fermement, en refaisant les mêmes gestes exécutés dans le boisé :

— Couché!

L'adolescent entendit le chien obéir. Il prit un biscuit dans la poche de son manteau et le garda au creux de sa main.

— Viens!

— Philippe, j'ai peur, murmura Laurence, au bord de la panique.

— Chut! Regarde, chuchota son mari, les yeux rivés sur le chien.

Comme il l'avait fait la première fois, le doberman, n'ayant pas reçu l'ordre de se lever, s'approcha de Thierry en rampant. Ce dernier ne put s'empêcher de penser :

«Tout était si différent la première fois. J'ignorais alors qui tu étais.»

Le jeune aveugle tendit la main. Malgré lui, ses doigts se crispèrent sur l'offrande, puis lentement il les déplia, un à un. Il sentit le chien le frôler avec son museau, prendre le biscuit, retourner vers l'entrée de sa niche et se recoucher.

Il l'entendit mâcher et avaler la nourriture.

Un élan de tendresse, semblable à celui qu'il avait ressenti dans le boisé, le submergea. L'émotion était différente, plus intense, car c'était vers son bouvier bernois que toute sa pensée était tournée.

«C'est grâce à Lumino!»

Thierry avait apprivoisé Perçant.

Un spectateur avait suivi la scène de loin.

C'est un drôle de petit gars, ce jeune-là, s'exclama Lucien Blouin.

Il était fier d'avoir pu se rendre utile. Thierry n'avait eu besoin que d'un petit coup de pouce, se disait-il. Pour le reste, il était capable de s'organiser tout seul.

Lorsque Thierry se décida enfin à entrer, après avoir passé un long moment sans bouger, à écouter les bruits que faisait Perçant en engloutissant la nourriture qu'il avait déposée près de lui, il alla trouver sa mère dans son bureau. Il se laissa choir sur une chaise :

— Je n'aurais jamais pensé qu'un jour... Une chose est certaine, Perçant ne remplacera pas mon Lumino. Ça, jamais. Mais il était seul au monde.

On est devenus copains avant que je connaisse son identité. J'ai raison, n'est-ce pas ?

— Thierry, ce chien est à l'essai. Ne l'oublie pas. Ton père m'a dit que c'est l'entente qui a été prise avec le responsable.

— Je sais.

— Quand je l'ai vu, je l'ai trouvé horrible. Mais lorsqu'il t'a obéi, je l'ai regardé avec d'autres yeux. Il fait vraiment pitié. Promets-moi de ne jamais prendre de risque. Il a été dressé par Max, c'est ce qui m'inquiète.

— Promis.

Thierry sortit du bureau.

— Ah, j'oubliais ! Roxanne a téléphoné un peu plus tôt. Elle voulait avoir de tes nouvelles.

À la seule mention du nom de la jeune fille, le souvenir de tous les coups durs de la journée refit surface.

— Roxanne ! Elle a demandé que je la rappelle ?

— Non. Elle était pressée. J'ai eu l'impression qu'elle ne pouvait pas parler librement.

L'adolescent n'ajouta rien et sortit de la pièce. Il s'installa devant l'ordinateur pour travailler.

Il ne voulait pas parler à la jeune fille, pas maintenant. Après tout ce qu'il avait vécu, il se sentait tellement mêlé qu'il était certain qu'il manquerait de cohérence au téléphone. Il était encore trop chaviré par ce qui lui arrivait.

Une inquiétude cependant taraudait l'adolescent.

«L'impression qu'elle ne pouvait pas parler librement. Ça veut dire quoi?»

Il ne s'était pas bien conduit avec elle, aujourd'hui. Au lieu de perdre le contrôle comme un crétin, il aurait dû lui laisser le temps de s'expliquer. Mais non! Il avait préféré croire un parfait inconnu.

«Qu'est-ce qui m'a pris? De la pitié! Ce serait la meilleure actrice au monde. Non, pas elle.»

Cette idée de pitié, qui lui faisait si mal, semblait de moins en moins crédible. Roxanne lui avait fait vivre une soirée comme jamais il n'en aurait rêvé. Elle s'était intéressée à lui à un moment de sa vie où il avait besoin d'aide. Ça comptait beaucoup.

Mais après tous ces incidents désagréables, Thierry avait l'impression d'être retourné à la case départ. Méfiance, secret, doute et peur.

Il pensa au chien qui dormait dehors dans sa niche.

— Perçant! Je le fais manger dans ma main! C'est débile! Mais qui peut comprendre ce que cela représente pour moi? Sûrement pas Clovis. Il serait jaloux d'une anecdote? Ça ne tient pas debout.

Se rappelant le billet, des dizaines de questions l'assaillirent.

Il ouvrit son tiroir. Afin de le retrouver facilement, le jeune aveugle avait pris la précaution de bien l'identifier dès qu'il l'avait retiré de la poche de son pantalon.

Le sentiment de force qu'il avait ressenti plus tôt dans la soirée s'évanouit au contact du billet. Tous ces pièges qu'on lui avait tendus! Un message qu'il ne pouvait pas lire. Et puis on l'avait diminué et ridiculisé aux yeux de Roxanne et de ses compagnons de classe.

Quelque chose ne tournait pas rond. Et tout le ramenait à la même personne : le messager de Clovis.

« Clovis doit avoir des dizaines d'amis que je ne connais pas à la poly. Pourquoi il n'aurait pas choisi un de ceux-là? Pourquoi son copain a-t-il eu besoin de déformer sa voix? Parce que je le connais? Il est peut-être dans un de mes cours et il ne m'aime pas. Je n'y peux rien, alors! »

Cette nuit-là, Thierry rêva que Roxanne appelait au secours et, pour la première fois, Lumino se trouvait près de lui. Il marchait à ses côtés, faisant reculer des ombres menaçantes dans le labyrinthe où il était perdu.

🐾 🐾

Roxanne avait hâte de connaître les impressions de Thierry sur la soirée au hockey.

Toute la journée du dimanche, elle avait eu envie de l'appeler, mais elle s'était retenue.

Le lendemain, impatiente de le retrouver à la café-téria, elle ne s'attendait vraiment pas à un accueil aussi froid. Il n'était pas du tout emballé de la revoir. Au contraire. Un évènement inattendu s'était sans doute produit. Un tel revirement! Il s'était pourtant bien amusé samedi soir. Bien sûr, il s'était aperçu de la petite scène de jalousie de Clovis, mais cela ne justifiait pas cette réaction.

«Qu'est-ce que j'ai fait? pensa-t-elle. Ah! Puis, non. Ce n'est pas ma faute. S'il veut rester seul, qu'il reste seul! Je ne courrai pas après lui.»

Ils ne se croisèrent plus de la journée. Roxanne se promit, malgré tout, de l'appeler chez lui.

La jeune fille était au téléphone avec Laurence Roy lorsque Clovis entra dans l'appartement par la porte de derrière. Elle était assise au salon, confor-tablement installée sur le divan, les jambes rame-nées sous elle.

Roxanne l'entendit déposer ses effets, enlever son manteau, le laisser tomber sur le dossier d'une chaise, se diriger vers le réfrigérateur puis s'asseoir à la table. Elle fut étonnée qu'il ne vienne pas l'em-brasser comme chaque fois qu'il rentrait. Elle mit fin hâtivement à sa conversation téléphonique.

Elle se leva et s'apprêtait à passer dans l'autre pièce pour le rejoindre. Clovis l'arrêta:

— Ne bouge pas. Attends.

Roxanne s'immobilisa, amusée.

— Tu as une surprise pour moi?

Gagnon ne répondit pas à sa question.

— Dis-moi si j'ai raison. En ce moment, tu portes ta jupe verte à carreaux dans laquelle je te trouve hyper sexy. C'est ça?

— Laisse-moi venir près de toi. Tu verras.

— Oui ou non?

— Oui! C'est excitant. Tu veux que je fasse un strip-tease? Lança la jeune femme, tentée d'entrer dans le jeu.

— Non.

Clovis entreprit alors d'énumérer ce que portait Roxanne. De la tête aux pieds... Même le chandail turquoise très moulant qu'il ne lui avait pas encore vu porter, même ses longues boucles d'oreilles en argent qui lui frôlaient les épaules chaque fois qu'elle agitait la tête.

— Et tu as attaché tes cheveux. Tu es follement attirante.

Tout cela aurait pu ressembler à un compliment. Mais c'était tout le contraire.

Rapidement, la bonne humeur de Roxanne s'estompa. La jeune fille ne s'amusait plus. Car la voix de Clovis n'invitait pas au jeu. Elle comprit que quelque chose ennuyait encore son petit ami.

«Même que j'étais en robe de chambre quand il est parti ce matin et je ne savais pas moi-même ce que je porterais», se rappela Roxanne.

— Ça suffit.

Roxanne entra dans la cuisine. Clovis s'était servi une bière. La bouteille était déjà à moitié vide. Le visage de la jeune femme s'assombrit et la colère fit flamber l'éclat de ses yeux pers.

Le jeune homme la regarda et leva sa bouteille vers elle en signe de triomphe. Rapidement il détourna le regard.

— Je ne me suis pas trompé, hein ?

Il termina sa bière d'un trait, se leva pour en prendre une autre dans le frigo et revint s'assoir.

— Mais tu es soûl ! Tu bois l'après-midi ! Arrête ! Tu as une séance d'entraînement ce soir.

— L'entraînement était plus tôt aujourd'hui. Je ne suis pas ivre… Juste un peu, finit-il par avouer.

— Clovis, qu'est-ce qu'il y a cette fois ?

— …

— Qu'est-ce que vous avez aujourd'hui, les gars ? Ce midi, Thierry m'a fait la gueule et puis toi, ce soir.

— Thierry…

— Non ! Tu m'en veux encore une fois à cause de lui ? Ça fait deux fois en trois jours, reviens-en ! Qu'est-ce que tu as contre lui ?

Clovis déposa bruyamment sa bouteille sur la table, se leva et la dévisagea.

— Aujourd'hui, un copain est venu me voir à l'aréna. Après la pratique, on est allé prendre une bière ensemble.

— C'est qui, ton copain?

Il fit comme s'il ne l'avait pas entendue.

— Mon chum m'a dit que je devais me méfier de Thierry Roy... Je l'ai envoyé promener. C'était trop ridicule! J'ai ri quand il m'a raconté pour toi et Thierry à la polyvalente aujourd'hui. J'ai gagé avec lui que tout ce qu'il racontait était faux. Il m'a décrit comment tu étais vêtue... Je viens de perdre mon pari.

— Qu'est-ce que ça prouve?

— Que tout ce qu'il m'a dit est vrai: tu as dîné avec Thierry, tu as couru après lui dans les corridors, tu as pris son visage dans tes mains et tu t'accroches à lui dans tes tenues de femme fatale. Tu ne vois pas qu'il en profite pour te faire marcher? S'il ne veut pas que tu l'aides, pourquoi tu insistes autant? Le petit plaisantin dit à tout le monde que je suis un imbécile jaloux.

Le crescendo de la voix de Clovis était au diapason de sa colère. Il était furieux.

— Mes tenues de femme fatale! T'es malade! Je porte ce que je veux quand je veux. Pas pour plaire à Thierry. Il est aveugle! Et je ne m'accroche pas à lui.

Le tempérament bouillant Roxanne l'empêcha de céder aux larmes. Elle respira profondément en cherchant à retrouver son calme. Elle était très ébranlée par la découverte du peu de confiance que Clovis avait en elle.

De plus, un doute infiltrait son esprit à propos de Thierry. Elle avait peut-être fait confiance un peu trop vite à ce nouveau venu en lui demandant de garder un secret.

— À qui as-tu demandé de me surveiller? Je connais tous tes copains.

Clovis reprit sa bière et but une rasade sans répondre, se contentant de hausser les épaules. Puis il dit :

— Tu n'as rien nié, hein! Alors c'est vrai?

— Ton copain a tout déformé.

Elle revint à la charge, haussant le ton.

— C'est qui l'idiot qui t'a raconté ça? Je vais aller lui dire ma façon de penser.

— L'idiot comme tu dis, raconte que c'est Thierry lui-même qui s'est vanté que tu lui courais après. Qu'il n'avait qu'un geste à faire pour que tu lui tombes dans les bras.

— Non, voyons! C'est impossible. Ce n'est pas Thierry qui a pu lui dire comment j'étais habillée!

— Pour ces détails-là, l'ami qui a tout raconté à mon chum n'est pas aveugle, lui.

Se parlant à lui-même, Gagnon murmura :

— Il ne se moquera pas de moi comme ça longtemps.

Puis il enchaîna, en haussant la voix :

— Si on parlait de confiance, un peu? Parce que je sais ce que tu penses. Tu sauras que je n'ai demandé à personne de te guetter. Les informations sont venues d'elles-mêmes jusqu'à moi.

— Et toi, tu embarques dans cette histoire avant de connaître ma version. La cause est déjà entendue !

Clovis vida une autre bière et mit la bouteille sur la table. Puis évitant le regard de la jeune fille, il lui lança :

— Tu fantasmes sur Thierry. Pourquoi ne l'admets-tu pas ?

Cette déclaration eut sur Roxanne l'effet d'une gifle. Un calme inquiétant s'empara d'elle.

Un long et pesant silence s'ensuivit.

Clovis comprit qu'il venait de commettre un grave impair. Se laissant choir sur la chaise, il tenta une excuse malhabile.

— Je n'aurais pas dû dire ça. C'est la bière. Je t'aime ! Je veux te protéger.

Roxanne le fixa droit dans les yeux.

En parfaite maîtrise d'elle-même, la jeune femme appuya ses deux mains sur la table, avança le haut de son corps vers lui et déclara en pesant chacun de ses mots :

— Tu ne veux pas me protéger, tu veux contrôler. Tout contrôler. Je suis capable de me défendre toute seule et tu le sais très bien. Écoute-moi, je ne suis pas une fifille qui va baisser la tête devant tes sautes d'humeur en disant : oh ! C'est parce qu'il

m'aime qu'il me fait des crises. Il va changer. Non !
Et puis ça ne colle pas cette histoire avec ce que je
connais de Thierry ! Un point, c'est tout ! Il est toujours tout seul.

— Eh bien moi, je ne resterai pas les bras croisés, sans rien faire, si quelqu'un se moque de toi ou
de moi. Compris ? Qui que ce soit.

Roxanne sentait ses jambes trembler tellement
elle était en colère. Devant l'obstination et la mauvaise volonté de Clovis, Roxanne changea de tactique.

— Bon, ça suffit. On va arrêter de se chicaner
sinon ça va mal tourner. En moins de trois jours,
nous nous sommes engueulés deux fois à propos de
Thierry Roy. C'est pas compliqué, je vais me tenir
loin de lui. C'est tout.

La colère de Clovis retomba instantanément.
Il était satisfait, il avait gagné la partie. Il l'écouta
raconter sa version, l'assurant qu'il la croyait, mais
qu'il persistait à se méfier des rumeurs qui circulaient sur le compte de Thierry Roy.

— Ça me rend nerveux. On dirait que rien
n'est clair avec ce gars-là. Tu as trouvé la solution,
ne t'en occupe plus, ma belle.

L'emportement absurde de Clovis l'irritait au
plus haut point. Roxanne avait agi sans arrière-pen-
sée en cherchant à aider le nouveau venu. Elle ne
voulait tromper personne, mais elle espérait que
cette promesse qu'elle avait faite à Clovis protège

Thierry Roy. Quelqu'un lui avait prêté de mauvaises intentions. Il y avait un affreux malentendu.

— Tu devrais arrêter d'écouter les autres et faire plutôt confiance à ta blonde.

Brusquement, elle demanda :

— Ton chum, le grand barbu de l'autre soir, ce ne serait pas lui ton informateur par hasard ? Tu as réagi ce soir de la même façon que samedi dernier. Dis-moi de qui il s'agit.

— Je te jure que je ne sais pas qui a raconté ça à mon chum.

— Quel chum ?

— On ne parle plus de ça, d'accord ?

Roxanne comprit qu'elle n'en tirerait rien de plus.

Le jeune homme se leva et s'approcha de la jeune femme. Il voulut la prendre dans ses bras.

Elle refusa fermement ses avances.

— Tu pues la bière.

Il eut l'intelligence de ne pas insister.

Clovis se donnait raison d'avoir caché le nom de Moisan. C'était un personnage trouble.

Roxanne lui avait promis de ne plus se tenir avec Roy. Il était rassuré.

« Il a lui-même demandé qu'on le laisse tranquille », pensa-t-il.

Pourtant, il se sentait ridicule. Il était idiot de redouter un aveugle de quinze ans.

Thierry était différent de ceux qui côtoyaient sa blonde et le jeune homme connaissait le grand cœur de Roxanne, sa sensibilité...

Clovis avait cherché à connaître l'identité du copain d'Éric, sans succès. Moisan avait refusé, lui signifiant que lui aussi pouvait avoir des amis qu'il ne voulait pas trahir.

## Chapitre IX

*L'étau se resserre*

Luc raccrocha violemment. Le discours que le préposé à la fourrière avait tenu sur Thierry Roy l'avait mis hors de lui. Non seulement Luc n'avait pas atteint son but, qui était de lui faire perdre un autre cabot, mais en plus l'aveugle s'en était porté acquéreur.

Lorsqu'il sut de quel chien il s'agissait, il fut encore plus révolté. Perçant! Une bête redoutable qu'il n'avait jamais réussi à toucher.

Il fut obligé d'admettre que le jeune aveugle avait marqué un point.

« Thierry a encore trouvé le moyen de l'emporter sur moi. Il fait tout pour me faire enrager! » se dit-il dans son emportement.

Depuis qu'il avait appris l'internement de Max, Luc s'était promis de lui rendre visite en prison.

— C'est maintenant ou jamais.

Assis face à face, une vitre les séparant, les anciens complices n'étaient pas très bavards. Le silence de Max trahissait son indifférence, celui de Luc, son embarras.

Ce n'est qu'au moment où il mentionna le nom de Roy, que Luc réussit à capter l'attention de son vis-à-vis.

Il vit alors les yeux étranges de Max s'animer. Il le fixait comme s'il venait tout juste de s'apercevoir de sa présence. Luc parvint à soutenir son regard.

— Tu as retrouvé Thierry. Je savais que tu ne lâcherais pas.

Luc esquissa un sourire qui ressemblait à un rictus. Il lui raconta le coup de chance d'Éric et sa balade à l'école…

Le jeune homme se demandait si Max l'écoutait. Le regard vide, il lui coupa la parole et, semblant se parler à lui-même, il chuchota :

— Toutes les nuits, je pense à lui. Je n'ai jamais voulu le tuer. Je voulais le garder pour moi tout seul. Pas le tuer, non. Ce soir-là, mon erreur fut de n'avoir pas résisté à la tentation d'aller jouer avec lui. Sinon tout aurait été différent. J'ai tout perdu à cause d'un caprice d'un soir. J'aurais réussi à l'emmener dans une autre ville, un autre pays même. Ce qui m'a provoqué, c'est que j'en avais peur, parce que je perds le contrôle quand je pense à lui.

La voix de Max n'était plus qu'un filet.

— Oui, et ça me fascine cette peur. C'est bizarre, hein? J'éprouvais un désir obsédant de lui montrer que j'étais le plus fort… J'ai échoué. Je suis un imbécile de l'avoir laissé me glisser entre les doigts. Je suis puni. Mes rêves me ramènent toujours à cette nuit, au caveau! Un jour, je sortirai d'ici pour finir ce que j'ai entrepris.

Max ferma les yeux et se tut.

Luc se sentit ébranlé par cet ahurissant monologue.

Hypnotisé par ces aveux, il observait l'homme qui venait de se dévoiler à lui. La pâleur de son visage encadré par des cheveux noirs comme du charbon accentuait sa maigreur et révélait son esprit tourmenté. Il n'entendit rien lorsque Luc lui dit :

— Je m'en charge… Max?

— …

— Thierry…

L'homme sursauta en entendant ce nom et ouvrit les yeux promptement.

— Il a retrouvé Perçant et il l'a apprivoisé.

— Hein?

Son éclat de voix alarma le gardien en faction devant la porte.

— Non! dit-il en baissant le ton, impossible! J'ai demandé à un copain de le tuer.

— Ton copain s'est contenté de s'en débarrasser dans un boisé. Je te jure que c'est vrai.

Max exigea de connaître tous les détails. Luc le voyait s'agiter sur sa chaise.

— Putain! Il n'y a que lui pour réussir une affaire comme ça.

Le prisonnier joignit les deux mains, comme s'il encerclait le cou de Thierry.

Agité, il reprit son soliloque à voix très basse :

— Tu vas cesser de hanter mes nuits. Reste tranquille. Oui, comme ça. Laisse-moi faire. Tu as compris.

L'homme éloigna ses mains et regarda par terre, les yeux exorbités, fixant une scène imaginaire.

Revenant à lui, Max prit conscience de la présence de Luc et en parut ennuyé.

— Thierry Roy aime jouer avec le feu. Il doit se trouver fort, hein? Il l'est. Mais ça ne lui redonnera pas son chien.

Max regarda le jeune homme, l'air amusé tout à coup.

— Mon pauvre Luc, ça te donne la chienne que je te dise ça, pas vrai?

— Non. D'abord je ne suis pas ton pauvre Luc! Et puis Thierry Roy ne me fait pas peur. J'ai réussi un truc marrant à l'école. Je peux rôder autour de lui tant que je veux. Je l'ai même touché et il ne se doute pas que c'est moi. Penses-tu toujours que Thierry Roy est fort? Et j'irai jusqu'au bout.

Un sourire narquois, provocateur, se dessina sur le visage de Max. Par défi, Luc en fit autant. L'homme examina attentivement Luc, les yeux injectés de sang.

— Jusqu'au bout ? Ça veut dire quoi ? Tu n'y touches pas.

Grisé soudain par un sentiment de puissance, Luc resta silencieux face au détenu et savoura cette distance qui séparait dorénavant les deux hommes. Jordan regarda autour lui pour s'assurer que personne ne l'écoutait et murmura :

— Moi, je ne ferai rien ou presque. Il fera tout à ma place, comme au début. Tu te rappelles ? Je vais terminer l'année en beauté et je reviendrai te raconter.

Ces sous-entendus donnaient au prisonnier le goût de vomir.

— Ce n'est pas lui que tu devrais viser, mais ses parents. Tout est de leur faute. Ce sont des imbéciles. Surtout son père, Docteur Philippe Roy, avec ses regards hautains et méprisants. Il se croit au-dessus de tout le monde.

Il fait tout pour provoquer des drames, comme l'emmener vivre près d'un cimetière. Ensuite il crie au scandale, il pleure et se pose en victime. Et maintenant, il n'est pas assez intelligent pour lui interdire un chien pareil ! Il suffira d'un cri, d'un ordre pour que le chien s'énerve et que Thierry Roy en perde le contrôle. Ce sera bien fait pour eux. Moi seul peux maîtriser Perçant !

— Ça reste à voir.

Ulcéré par ce commentaire, Max darda ses yeux aux pupilles de chat dans ceux de Luc.

— J'en ai appris sur le compte de Philippe Roy. C'est hallucinant comme les nouvelles circulent rapidement en prison. Arrange-toi pour que ça se sache. Je veux que son fils le voie – Max laissa échapper un petit rire à ce mot – tel qu'il est!

— Dis-moi de quoi il s'agit.

— Jure-moi que tu ne feras rien d'irréparable?

— Je ne jure de rien.

Max plissa les yeux. L'étrangeté de son regard s'en trouva accentuée. Luc ricana afin de dissimuler son malaise. Pourquoi craindrait-il Max?

«Profiteur! Je ne sais pas lequel des deux est le plus fou...», ragea Thériault.

Afin de satisfaire le goût de vengeance de cet écervelé sans envergure, Max lui révéla, comme on jette un os à un chien, ce qu'il avait appris en prison.

— J'ai entendu dire...

Au fur et à mesure que Max lui dévoilait des informations, les yeux de Luc s'agrandissaient, exprimant sa satisfaction.

— Maintenant je vais t'apprendre quelque chose que je suis seul à savoir. Ça t'intéresse toujours? Je peux compter sur toi?

— Vas-y!

Luc écouta attentivement. Ce que Max lui révéla dépassait tout ce qu'il aurait pu imaginer.

«Le temps de visite est terminé», annonça le gardien.

Luc consulta rapidement sa montre.

— C'est court.

Avant de se lever, Max se colla contre la vitre et dit :

— Des fous! Ce chien-là, c'est une bombe à retardement. Tu vas revenir me voir? Le père, pas le jeune. Je te revaudrai ça.

— Ah! Comment?

Max le dévisagea avec animosité.

— Tu n'es pas le seul à me rendre visite, tu sais?

Luc haussa les épaules, indifférent.

En quittant la salle des visiteurs, Luc entendit un des gardiens se plaindre à son compagnon :

— J'ai hâte que les rénovations soient terminées. On entre ici comme dans un moulin. Il y a trop de monde à surveiller.

— Oui, c'est pas reposant.

— Un vrai travail de forçat…

L'imposant surveillant escorta Jordan jusqu'à la sortie sans lui laisser le loisir de se retourner.

Après une fouille minutieuse, Luc parvint à l'air libre. Il eut un long frisson, et la température hivernale n'y était pour rien.

«Trou à rats. Non, on ne me pognera pas. Tu vas voir ce que je vais en faire de tes ordres. Si je reviens, ce sera pour te dire que j'ai réussi, espèce de pédé!»

Maxime Thériault l'avait traité avec mépris. Luc l'avait vu dans ses yeux.

Il serra étroitement son manteau autour de son corps et s'engouffra dans sa voiture. Il emportait avec lui d'incroyables informations.

Jordan fila droit chez lui. Il se prépara un énorme sandwich puis il s'enferma dans sa chambre. Son père était à la polyvalente. Il avait toute liberté pour chercher sur internet les coordonnées des hebdomadaires de la ville et pour faire des appels.

Les premiers essais furent décevants. On ne l'écoutait pas ou on ne le prenait pas au sérieux à cause de l'anonymat qu'il s'obstinait à conserver.

À la quatrième tentative, la chance lui sourit quand il mentionna le nom des Roy :

— Oui, vas-y. Raconte et je te dirai si ça vaut le coût de l'encre pour l'écrire.

— C'est quoi votre nom ?

— Mon nom… Tu refuses de dire le tien, mais je dois dire le mien ? Hum… OK… Pas de problème. Je m'appelle Serge Laliberté. Maintenant, parle.

❄ ❄

Avant même que Thierry ne mette les pieds dans l'autobus scolaire, les commentaires avaient commencé à circuler. Au fond du véhicule, quelqu'un s'écria :

— Hé ! Regardez le chien dans la cour.

Quelques passagers s'étaient déjà levés pour se coller le nez aux vitres.

— Ouais! C'est quoi ça? Il est épeurant! Thierry, ton père t'a acheté un tueur? C'est ton nouveau chien guide?

Un garçon émit un sifflement. Sur les lèvres de Thierry, un léger sourire apparut qu'une réplique assassine effaça aussitôt.

— Non! Un chien renifleur de fromage pourri!

La mauvaise blague provoqua un tollé de rire. Le conducteur s'empressa de ramener l'ordre :

— TOUT LE MONDE S'ASSOIT! ON SE TAIT, S'IL VOUS PLAÎT!

Thierry mit ses écouteurs sur ses oreilles pour ne plus entendre ses camarades. Il aurait aimé rire de cette plaisanterie, qui n'était pas si méchante, mais il en était incapable.

De qui aujourd'hui devrait-il se méfier? Celui qui avait déformé sa voix hier était peut-être assis tout près, derrière son banc...

Le jeune aveugle sentit quelqu'un prendre place près de lui.

— Salut!

Il retira ses écouteurs pour les remettre aussitôt lorsqu'il eut reconnu son voisin.

— Ouais! Salut, Étienne...

La première période du cours de français était consacrée à la lecture. C'était la période qu'il préférait, aujourd'hui plus encore. Grâce à ses écouteurs, l'adolescent pouvait s'isoler. Ainsi les paroles des élèves glissaient sur lui, sans le blesser.

Roxanne accaparait toute sa pensée. En ce moment, il la détestait.

«Je n'avais rien demandé. C'était de la pitié. Le gars avait raison.»

Il souhaitait pourtant s'expliquer avec elle. Ça l'avait tenu éveillé une partie de la nuit.

Il espérait avoir le courage de lui montrer le message pour éclaircir la situation. Il ne se sentait plus la force de traîner des silences dévastateurs. Ni de laisser filer le temps sans rien dire... Et de ne penser qu'à ça. Non.

Avant que la cloche sonne, il l'avait senti passer près de lui sans s'arrêter.

— Roxanne?

— Ah! Salut! Je suis pressée. Une autre fois.

— Attends! Une minute, Roxanne!

Thierry l'avait entendu presser le pas. C'était évident, elle le fuyait.

«Je suis un idiot. Je gâche toujours tout.»

Il était resté là, amèrement déçu, seul malgré l'incessante agitation de la horde d'étudiants.

Roxanne n'avait pas bien dormi non plus. La jeune femme s'était sentie obligée de promettre qu'elle éviterait de voir Thierry. Cela lui avait laissé un goût amer. Clovis devrait maintenant lui faire confiance sinon…

Elle avait promis, à cause de Thierry. Il était différent des autres.

Clovis et elle formaient un couple envié. Tout le monde dans leur entourage désirait les avoir pour amis. Et les amis s'ajustaient à eux, non l'inverse.

Mais pas cette fois.

Et si Clovis avait raison? Elle était en colère à la pensée que le nouveau s'était peut-être moqué d'elle et raconté ce qu'il avait entendu samedi soir, malgré sa promesse.

«Avant de l'accuser, je dois découvrir qui est l'enfoiré qui s'amuse à nous espionner. L'épais qui n'attend qu'un faux pas de notre part.»

Elle ne s'était pas arrêtée lorsque Thierry l'avait interpellé.

Se méfiant de son caractère bouillant, elle avait craint de lui faire une scène, de le traiter de triple idiot. Elle préféra l'éviter.

Toute la semaine, elle l'observa, en restant à distance.

Elle constata qu'il n'y avait qu'Étienne qui, de rares fois, l'accompagnait.

Alors que ce dernier se rendait au gymnase, elle le croisa et profita de l'occasion pour lui demander si c'était lui qui avait mouchardé.

La réaction d'Étienne fut si spontanée qu'elle en avait été comique. Il en échappa son sac de gym.

Il le ramassa et remonta ses lunettes qui avaient glissé sur son nez.

— T'es folle! C'est pas de mes affaires.

Puis haussant les épaules, il avait poursuivi sa route.

Elle n'avait pas insisté.

Elle tint la promesse faite à Clovis.

Mais plus elle observait le jeune aveugle, plus elle doutait qu'il puisse se moquer de qui que ce soit.

«Dommage, ça aurait pu être plus simple, pensa la jeune femme. Nous aurions pu être copains tous les trois. Mon chum est bizarre, ces temps-ci. Clovis et Thierry… si différents.»

Le fantasme qu'elle avait eu le samedi précédent revint avec force se loger dans sa tête, lui compliquant les choses. Plus elle voulait l'écarter de ses pensées, plus il s'incrustait.

Lorsqu'elle voyait Thierry se frayer un chemin au travers des étudiants, elle réalisait que la personne qui avait parlé à Clovis jouait un jeu cruel.

La méfiance la gagna. Sans cesse, elle lançait des regards de suspicion à la ronde. À regret, elle jugea prudent de rester éloignée de Thierry. Elle se ferait oublier par ce petit malin qui voyait du mal dans une simple camaraderie.

La jeune fille décida de laisser passer le temps afin de ne provoquer personne. Sinon, elle-même se prendrait au piège. Cette décision lui serra le cœur.

Roxanne refoula dans un coin de sa tête ce fâcheux incident et tenta de ne plus y penser.

*** ***

La nouvelle que Max avait refilée à Luc avait suscité l'emballement du journaliste. Le jeu prenait une tournure inattendue. Luc était de plus en plus déterminé à agir.

Il se rendit à nouveau à la polyvalente, guettant Thierry.

Il attendait le moment propice pour le harceler. Plus d'une fois, il heurta le jeune aveugle dans les couloirs, sans dire un mot, rendant toujours plus insécurisant le parcours quotidien de Thierry.

Luc avait hâte de voir l'effet qu'auraient les révélations de Max sur son adversaire. Il avait de plus en plus envie de se faire reconnaître par Thierry pour qu'il sache enfin que tout venait de lui. Tout!

Jordan se faisait discret, évoluant parmi les élèves seulement aux heures de grande affluence. Il se fondait dans la masse. Il repéra rapidement ceux qui, comme lui, avaient besoin de drogue. Sans poser de questions, il entretenait en douce un petit commerce.

«Après tout, pourquoi s'intéresserait-on à moi? Tous les prétextes sont bons pour justifier ma présence ici : le gymnase, la bibliothèque, les cours de rattrapage, un tuteur imaginaire. Il suffit d'éviter les professeurs. Et pour couronner le tout : je fais de l'argent.»

Luc se méfiait surtout de lui-même. Il se contrôlait difficilement lorsqu'il croisait Thierry.

Il y avait aussi cette fille, Roxanne. Il avait remarqué son nouveau comportement avec l'aveugle et les regards scrutateurs qu'elle posait sur tout le monde.

«Roy joue la comédie du "pauuuuvre" délaissé. Il est de connivence avec elle, ou alors j'ai vraiment réussi mon coup, pensa Luc. Ça reste à voir. C'est débile comme j'aime le feeling que ça me procure.»

Thierry espérait toujours un rapprochement avec Roxanne. Il voulait s'expliquer avec elle. Sans succès. L'occasion ne se présentait jamais.

Étienne, que les allusions de la jeune fille avaient ennuyé, le fuyait. Des petits crétins s'amusaient à lui empoisonner la vie.

Le week-end fut à l'image de la semaine. Sa solitude amplifia son désarroi. Il faisait face à un ennemi invisible.

La nouvelle semaine se présenta semblable à la précédente. Pire, si possible.

Un nouvel incident vint le bouleverser. Alors qu'il se rendait entre deux cours à son casier, il entendit quelqu'un passer près de lui et l'interpeller.

Hey, Roy, il y a une feuille collée sur la porte de ton casier.

Thierry l'entendit ralentir et revenir sur ses pas, puis lui conseiller :

— Tu devrais l'ôter.

La voix était franche et claire. Rien à voir avec celle du gars à la gomme à mâcher. Il reconnut celui qui se tenait devant lui.

— Une feuille… Olivier, c'est toi qui l'as mise là pour me niaiser ?

— Qu'est-ce qui te prend, toi ? Ce n'est pas moi, idiot. Je ne te l'aurais pas dit ! Tu te méfies de tout le monde, hein ?

Thierry avait de plus en plus de difficulté à réagir calmement. Il redoutait ce genre de situation. Un autre message ! Il tendit la main à la recherche du papier pour le soustraire aux regards des autres. Faisant taire son orgueil, il avoua :

— Désolé. Je m'énerve facilement depuis quelque temps.

— Ouais ! Ça va. J'ai su pour le coup de la gélule. La note est sur ton casier depuis cet avant-midi. Il y a sûrement quelqu'un qui l'a lue.

Le jeune aveugle était sur ses gardes, craignant une autre mauvaise farce.

— As-tu vu qui l'a collée là ?

— Non. Veux-tu que je lise ce qu'il y a dessus ?

En tâtonnant, Thierry la trouva. Il sentit sous

ses doigts un petit bout de papier dont la bordure était déchirée. Il l'arracha.

Il hésita, puis il hocha la tête et tendit la note à Étienne. Il en avait plein le dos de ces messages! Il entendit un élève qui appelait son compagnon :

— Olivier, viens! Tu vas être en retard. Le cours commence.

— Vas-y, je te rejoins.

Olivier jeta un coup d'œil sur le message.

Thierry entendit un petit rire plein de sous-entendus.

— OK! Maintenant, il faut que j'y aille.

— Qu'est-ce qu'il y a de si drôle? dit Thierry d'un ton exaspéré.

— Ben, c'est un message… très personnel. Il est griffonné avec un stylo bille. Voilà, puis il s'éclaircit la voix et lut :

*Merci, Thierry, pour la baise…*

— Quoi?

— Moi, je lis, c'est tout!

Il entendit Olivier se racler la gorge à nouveau.

*Jamais je ne t'oublierai. Va voir sur le blogue…*

— Hum! Il y a une adresse.

Olivier lui lut l'adresse, sans s'attarder aux réactions que le message suscitait chez Thierry.

196

*Ça va te rappeler de bons souvenirs... Max en redemandait... Il n'avait d'yeux que pour toi... As-tu eu des nouvelles de tante Catherine dernièrement? Pourquoi as-tu abandonné Lumino?*

*Mathieu Leclerc*

*P.-S. Je sais que tu vas tout nier. Ce n'est pas grave.*

Thierry recula d'un pas et heurta les casiers de métal. La vibration résonna longtemps dans sa tête. Le sol tanguait dangereusement.

— Mathieu Leclerc? Tu as dû te tromper de nom.

— Écoute, je sais lire.

Thierry laissa passer quelques secondes avant de lâcher :

— Il est MORT!

— Moi, je ne fais que te lire ce qui est écrit là-dessus.

Ébranlé, l'adolescent secoua la tête. Il sentit un souffle glacial sur son échine.

— Tout est faux.

Olivier le regarda d'un air sceptique. Puis il haussa les épaules. Il avait hâte de déguerpir.

— Écoute, tu fais ce que tu veux. C'est ta vie.

« Il est dérangé, ce gars-là », pensa-t-il.

Olivier lui mit le papier dans la main et il s'en alla en vitesse, saluant au passage un élève qui s'était arrêté pour les écouter. Il fit un petit signe de la tête en direction de Thierry tout en haussant les épaules.

L'élève dissimula sa gêne, ou peut-être un fou rire, en plaquant sa main sur son visage, ne laissant voir que des yeux moqueurs à travers ses doigts écartés. Sans prononcer un mot, il salua Olivier à son tour d'un sourire de connivence.

Le jeune aveugle referma sa main avec rage. Il se répétait mentalement :

« Non, ça se peut pas. Mathieu Leclerc ! C'est lui, le cadavre trouvé au fond du caveau. Il est mort ! Je l'ai senti. »

Le pénible souvenir de la découverte d'un corps en décomposition lors de sa captivité lui donna un haut-le-coeur.

La situation tournait au délire. Il se dirigea à son tour vers son local, frôlant au passage l'étudiant qui l'observait toujours…

Il n'adressa la parole à personne. À grand-peine, il assista à son cours, mais ne parvint pas à se concentrer.

Tout le monde pouvait être tranquille maintenant. La fausse rumeur se propagerait rapidement et jamais Clovis ni Roxanne, comme plein d'autres d'ailleurs, n'accepteraient d'être amis avec lui. Déjà que son humeur instable et ses gestes imprévisibles faisaient fuir son entourage…

« Mathieu Leclerc ? C'est peut-être un autre ? Il n'est peut-être pas mort ? Non, tu divagues, Thierry. Max était peut-être avec quelqu'un d'autre… Je ne sais plus. J'avais mal partout. Ce n'est pas Leclerc qui devrait être encore vivant, c'est Lumino! Non, ne pense pas ça, se culpabilisa-t-il. Ils sont morts tous les deux. Et je n'ai pas abandonné Lumino! Qui peut bien avoir écrit ça?»

Le doute se logea dans son cerveau.

Ce soir-là, il revint de l'école enveloppé d'une ombre suspicieuse. Il eut le bon jugement — comme aurait dit son père — de ne pas approcher Perçant. Le chien aurait pu réagir avec agressivité.

Très lentement, il s'engagea dans l'entrée. Il écouta, huma profondément, prêtant attention aux moindres bruits.

Il s'empressa de verrouiller la porte dès qu'il fut entré dans la maison.

Il était hanté par le cadavre de Mathieu Leclerc. Il jeta avec force son sac et sa canne dans un coin de la pièce. Quelque chose cassa. Il s'en foutait. Il se débarrassa de son manteau en le laissant tomber par terre et en le poussant du pied.

Il tendit l'oreille. Il crut entendre une respiration... et des battements de cœur.

«Ah, c'est le frigo et le balancier de l'horloge. Tu es bête, Thierry Roy. Tu deviens fou.»

Thierry ne savait pas comment évacuer tout ce ressentiment. Il crut qu'il allait littéralement exploser.

Il avait l'habitude d'être seul au retour de l'école, mais aujourd'hui il aurait souhaité qu'il en fût autrement. Le silence de la maison était oppressant.

Il alla droit au salon et ouvrit la chaîne stéréo à fond, à en faire trembler les murs et les fenêtres.

La musique lui vrilla les tympans. Son cœur battait au rythme sauvage des décibels déchaînés. Il se laissa emporter, cherchant à échapper au vide, au malaise qui l'habitait. Il hurla à s'en déchirer les cordes vocales :

— LUMINO !

Malgré le vacarme ambiant, la sonnerie du téléphone fit sursauter le jeune aveugle. Son cœur battait à tout rompre. Pas question de répondre, se dit-il. Il laissa sonner.

Une espèce d'ivresse l'avait envahi.

Mais la sonnerie devenait obsédante.

« Allait-elle finir par cesser ? »

Au 13e coup, l'adolescent perdit patience. Il décrocha, sans baisser le volume de la musique.

— OUI !

Il entendit son père hurler à l'autre bout de la ligne.

— THIERRY ROY ! VA IMMÉDIATEMENT BAISSER LE SON. TU M'ENTENDS ! TOUT DE SUITE.

Il s'exécuta, sans se presser.

— Enfin. Ce n'est pas trop tôt ! Thierry, qu'est-ce qui t'a pris ? Lucien Blouin vient de m'appeler.

Il entend la musique jusque chez lui. Pense aux voisins ! As-tu perdu la tête ?

— Oui, peut-être. Ah ! C'est vrai, on a de vrais voisins ici.

Philippe se calma. Il n'aimait pas la voix de son fils.

— Thierry, qu'est-ce qui se passe ?

— RIEN !

— Ça va ?

— Hum !

— Bon, je dois retourner auprès de mes patients. Ne dérange plus les voisins. D'accord ? À ce soir.

— ...

Dès qu'il raccrocha, l'adolescent remit la musique à plein tube. Il maugréa :

— Maudite blette à Blouin !

Près de la porte, sur un pan de mur qui séparait le hall d'entrée de la cuisine, était accroché un grand miroir. Thierry s'en approcha et lui fit face. Il tendit la main et la laissa glisser sur la glace, essayant d'imaginer son visage.

« On dirait que ma tête ne revient à personne. Je suis un infirme idiot, soupe au lait dont il vaut mieux se tenir éloigné. Est-ce que je vais être *rejet* toute ma vie ? J'ai besoin d'aide... »

Puis, il dit à haute voix :

— Cesse d'y penser et agis...

À cet instant, Thierry réalisa que le chien aboyait sans arrêt. Incommodé, il lança en haussant le ton :

— Perçant, arrête de japper! J'arrive.

Il se rendit à la cuisine et remplit un bol de moulée pour chien.

Dans sa hâte, il en fit tomber un peu par terre et se promit de la ramasser plus tard. Il ne prit pas la peine d'endosser son manteau. Il n'en avait que pour quelques minutes.

Il sortit nourrir le chien. Cette routine l'avait toujours aidé à surmonter ses déprimes.

Mais la bête continuait malgré tout son vacarme.

— C'est assez! Couché!

N'obtenant aucun résultat, le jeune aveugle s'immobilisa.

— Qu'est-ce qu'il y a encore?

Thierry tendit l'oreille. Il entendit des pas.

Quelqu'un s'était engagé dans l'allée et s'avançait vers lui.

— Qui est là?

## Chapitre X

*Laliberté vs Philippe Roy*

— Bonjour, Thierry.

— …

— Tes parents sont là ?

Le jeune Roy garda le silence.

— De toute évidence, tu es seul sinon la musique ne serait pas aussi forte. C'est bien, c'est toi que je voulais voir. Tout un démon, ce chien-là. Tu n'as pas le contrôle ? Peut-être parce que ce n'est pas vraiment ton chien ?

Ces remarques, il les reçut comme une insulte.

— Au contraire, il est très obéissant.

Il précisa, sur un ton ironique :

— Je lui ai enseigné à ne pas tolérer les journalistes. C'est même la première chose que je lui ai apprise, M. Laliberté.

— Ouais ! Tu as la réplique facile. Et tu m'as reconnu. Félicitations !

— Allez-vous-en ou je le détache, lança l'adolescent.

Il fut tenté de mettre à exécution sa menace sans plus attendre.

— Tu ne ferais pas ça ?

Le bruit que faisait le chien rendait la conversation difficile.

La réaction violente de la bête inquiéta le jeune aveugle. Il la connaissait si peu. Le souvenir de Max revint à sa mémoire.

— Partez ou j'appelle mon père.

À ces mots, Thierry mit la main à sa ceinture pour saisir son cellulaire, se félicitant de l'avoir sur lui.

— Laisse ça à sa place et écoute-moi. Ton père, parlons-en…

L'attention de Thierry était tournée vers Perçant. Il se rappela de quelle façon Max se faisait obéir. Non, il ne le frapperait pas, par contre… Il refusait de se laisser dominer par la peur. C'était lui maintenant son maître.

— TA GUEULE !

Il mit dans cet ordre toute l'agressivité qu'il refoulait depuis tant de jours.

Le journaliste sursauta et fit un pas en arrière. Il jaugea le jeune homme.

C'est à peine si Thierry avait reconnu sa propre voix : ferme et autoritaire.

Le chien cessa de japper.

Satisfait de l'effet produit, le jeune Roy s'imagina un court instant en faire autant à l'homme qui se tenait face à lui.

Raffermi dans son autorité, Thierry s'approcha sans crainte de Perçant pour le nourrir. Laliberté le regardait agir, fasciné par son habileté. Son intérêt pour lui s'en trouva décuplé.

— Laisse-moi dix minutes et tu n'auras plus envie d'appeler ton père. C'est dans ton intérêt et dans le sien.

Serge Laliberté perçut l'hésitation sur le visage de l'adolescent.

Le jeune aveugle avait terminé de nourrir Perçant et s'en était éloigné. Rassuré, Laliberté s'approcha de Thierry, lui mit un bras autour des épaules et le dirigea vers l'entrée.

— C'est d'accord?

— LÂCHEZ-MOI!

Le journaliste enleva rapidement son bras.

Thierry s'éloigna d'un pas.

Perçant se remit à aboyer en tirant sur sa chaîne.

— Tut! Tut! Tut! On se calme. Es-tu toujours aussi agressif?

Le journaliste détailla l'adolescent de la tête aux pieds, pensif. Soudain :

— Je comprends! Tu ne supportes pas qu'un homme te touche, n'est-ce pas? Raconte-moi.

Les dents serrées, Thierry souffla :

— Foutez le camp!

— J'ai appris des choses graves sur ton père.

C'est toi qui décides si tu veux que je te raconte tout ça à l'extérieur, mais après je ne veux pas que le docteur Philippe Roy vienne m'accuser de t'avoir rendu malade. Tu frissonnes.

L'adolescent hésita. Il ne savait pas comment s'en débarrasser.

Laliberté, percevant son indécision, le bouscula :

— Allez, on rentre ?

Sans un mot, Thierry entra. L'homme le suivit, croyant avoir obtenu son assentiment.

— Tu es un garçon intelligent.

L'adolescent alla à la cuisine porter le bol du chien. Il entendit l'homme se diriger vers le salon. Ce dernier s'arrogea le droit d'aller fermer la chaîne stéréo.

— Bon, comme ça, on va pouvoir se parler tranquillement.

Le journaliste en profita pour examiner les lieux et nota le laisser-aller, le manteau de Thierry qui traînait, la moulée du chien sur le plancher de la cuisine.

Le journaliste prit place sur le canapé.

— Jeune homme, viens me rejoindre au salon.

— D'accord, lança Thierry en apparaissant dans la pièce, mais seulement dix minutes.

Il était de plus en plus irrité par le sans-gêne de cet intrus. Il resta debout, sortit son cellulaire – cette fois, il ne se laisserait pas intimider – et lui fit face.

— OK ! Alors… comment se sent-on quand on est devenu aveugle à cause de son père ?

206

Le journaliste le scrutait.

Thierry ne broncha pas. Son cœur s'accéléra, mais il ne trembla pas.

— Tu étais au courant? Est-ce que tes parents t'ont dit toute la vérité?

Thierry demeura muet.

— Cette semaine, continua le journaliste, on m'a révélé des informations passionnantes. J'ai fait ma petite enquête et elle m'a conduit jusqu'à l'hôpital où ton père exerçait au moment de ton accident. Alors je me suis demandé comment faire pour lui éviter le pire…

Thierry resta maître de lui-même malgré la grande agitation qui l'habitait. Il rangea son cellulaire dans sa poche, et croisa les bras. L'attitude fermée de l'adolescent énerva l'homme.

— Assieds-toi! ordonna-t-il, d'une voix cassante.

Thierry ne broncha pas.

— Bon, comme tu veux. Oui, je disais : comment faire pour éviter le pire à ton père. Tu ne permettrais pas que cela arrive? Si tu es intelligent, tu vas accepter de faire ce qu'il faut pour qu'on ne le traîne pas dans la boue.

— Je vous défends de dire du mal de mon père.

— Je dirai la vérité. Toute la vérité.

De guerre lasse, Thierry lâcha :

— Venez-en au but!

— J'ai appris que ton père était… en état d'ébriété au moment de l'accident. Dr Philippe Roy était soûl.

Serge Laliberté avait martelé ces mots.

La respiration de Thierry s'accéléra.

— Il s'est servi de ton handicap comme bouclier pour se protéger. Il a profité de la compassion de ceux qui s'apitoyaient sur le père éprouvé en détournant l'attention sur toi. La direction de l'hôpital, qui a fini par apprendre ce qui s'était passé, a fermé les yeux sur les écarts de l'un de ses éléments les plus brillants et a étouffé l'affaire. Quel genre de relation cela a-t-il créé entre vous ?

La bouche de Laliberté crachait ces mots comme un venin mortel.

— ARRÊTEZ !

Le journaliste se leva et s'approcha du jeune aveugle qui recula d'un pas. Il éleva la voix.

— Cet alcoolique a continué à pratiquer la médecine.

— NON ! C'est faux ! Il ne prend pas d'alcool ! cria Thierry, vibrant de colère.

— Exact, plus maintenant. Il a fait une cure de désintox. Je suis au courant. Bien sûr, ton père est un bon médecin, mais quelle vilaine tache à son dossier. Une réputation, c'est si fragile. Tu réalises les conséquences pour ton père si cette nouvelle arrivait sur la place publique ? Les gens sont chatouilleux sur certains sujets. La santé, par exemple.

— Vous voulez vous venger parce qu'il a appelé au journal pour se plaindre de vous?

— Ça n'a pas rapport, mentit-il. Je suis un professionnel de l'info.

Le jeune aveugle comprit qu'il ne servait à rien de nier les faits.

— Qu'est-ce que vous attendez de moi?

Quelque chose qui ressemblait à de l'admiration pour la force de caractère du jeune homme lui fit hocher la tête. Il retourna s'asseoir puis s'expliqua:

— Tu dois admettre que pour un journaliste, c'est tentant une telle nouvelle. J'ai pensé que… si tu me… racontais en exclusivité l'histoire de ce que tu as vécu au cimetière… en n'omettant aucun détail…, je pourrais laisser tomber l'affaire de ton père. Donnant, donnant.

Laliberté vit que Thierry commençait à s'agiter.

— Oui! Oui! Tu vois, tout te revient en tête. Tu ferais fureur dans une émission de téléréalité. Tu as beaucoup de crédibilité et de charme.

Thierry entendit son interlocuteur bouger.

— Je te jure d'effacer de ma mémoire les renseignements sur ton père.

Le journaliste ne quittait pas des yeux le jeune aveugle. À coup sûr, le public allait l'adorer.

— C'est oui? Une seule petite heure. Tu me dévoiles les détails que tu n'as jamais dits à personne et le tour est joué. Tu seras très bien payé et tu deviendras une vedette. J'en connais plus d'un qui n'hésiterait pas une seconde. Penses-y !

— Bien…

Laliberté vit des gouttes de sueur perler sur le front de Thierry. Il était à un doigt d'atteindre son but.

— Qu'est-ce qui me prouve que vous respecterez votre part du marché ?

— Ma parole d'honneur.

— Je dois en parler avec mes parents.

— Ah, bon ! Oui… normal. Mais pourquoi tu ne me raconterais pas tout ça maintenant ? Ensuite, j'attends ton signal pour commencer la rédaction.

— Vous me prenez pour un idiot ?

À contrecoeur, Laliberté sortit un carnet de notes sur lequel il griffonna rapidement.

— Tiens, voici mon numéro de téléphone et mon adresse courriel. Si lundi, je n'ai pas eu de tes nouvelles, j'écris l'article sur ton père.

Il déchira le feuillet et le mit dans la poche de son jean.

— C'est du chantage ?

— Un marché !

La porte s'ouvrit précipitamment. Philippe Roy alla droit au salon. Outré de voir le journaliste, il tonna :

— Sortez de chez moi, tout de suite !

— Papa !

Soulagé par cette arrivée inespérée, Thierry se détendit.

Serge Laliberté se leva calmement. Les deux hommes se firent face.

— Bonjour, Dr Roy. Content de vous rencontrer.

— Si vous ne partez pas sur-le-champ, j'appelle la police. Dehors! Laissez-le tranquille! C'est clair? Sinon, vous savez à quoi vous vous exposez.

— C'est votre fils qui m'a permis d'entrer. Je n'ai pas forcé votre porte.

— C'est vrai Thierry? demanda Philippe

— Oui, mais c'est…

— Nous réglerons ça tout à l'heure lorsque nous serons débarrassés de cet indésirable.

— Mais…

— Thierry, tais-toi et va dans ta chambre.

— Papa…

— Immédiatement!

Thierry s'exécuta en serrant les mâchoires. Il sortit le bout de papier de sa poche et le jeta sur son bureau.

— Vous êtes sévère avec lui. Vous devriez l'écouter un peu. Je lui ai proposé un marché. Il a eu le bon sens d'accepter.

Philippe ouvrit grand la porte et, la main sur la poignée, il répéta :

— Dehors! La prochaine fois, adressez-vous à moi, pas mon fils. Compris?

Son exaspération décupla lorsque l'intrus jeta un coup d'œil circulaire dans la pièce en désordre et laissa tomber en passant près de lui :

— Je m'en vais. Entre nous, vous devriez vous occuper un peu mieux de votre adolescent.

Philippe se retint à grand-peine pour ne pas lui faire ravaler ses paroles. Il suivit le journaliste du regard jusqu'à sa voiture.

Laliberté regarda le chien qui s'était remis à aboyer. Avant de prendre le volant, il lança :

— Drôle de chien pour un aveugle. Ah oui, parlant de bête...

Thierry colla son oreille contre la porte afin d'entendre leur conversation. La distance et les aboiements de Perçant rendaient la chose difficile. Très doucement, il entrouvrit la porte.

— ... Lumino, le chien...

À ce nom, Thierry ouvrit plus grand et se concentra pour saisir les propos.

— ... peut-être pas mort... vous lui...

— Allez-vous-en, coupa Philippe en claquant la porte avec violence.

« Pas mort ? Lumino ! Pas mort ! »

L'espoir prit toute la place dans son cœur.

Sans se soucier de l'humeur de son père, l'adolescent sortit en trombe de sa chambre.

— Qu'est-ce qu'il a dit ? Lumino n'est pas mort ?

Agacé, Philippe laissa éclater sa colère.

— Quelle folie racontes-tu ? Tu le sais ! Il est mort !

Cette réalité douloureuse, formulée sur ce ton cassant, frappa Thierry de fouet. Il s'arrêta net.

La gorge serrée, il dit avec difficulté :

— J'ai crû… qu'il… t'avait… dit… ça.

— Alors tu as mal entendu.

— Pas besoin de me parler aussi durement !

L'adolescent tourna les talons et regagna sa chambre.

Il entendit son père lâcher un juron. Il lui faisait peur lorsqu'il était furieux comme maintenant.

L'adolescent chercha à comprendre ce qui impatientait son père à ce point. Il est vrai que Philippe Roy ne tolérait jamais d'être importuné, au travail comme à la maison, et Laliberté l'avait exaspéré.

Il écouta les pas de son père qui se rapprochaient. Promptement, il alla s'asseoir sur son lit.

La porte de sa chambre s'ouvrit avec le même élan que la porte d'entrée s'était refermée. D'une voix beaucoup trop forte, il dit :

— Thierry, je suis désolé de t'avoir parlé sur ce ton, mais je ne trouve pas les mots pour t'exprimer ma déception ! Je n'aurais pas crû nécessaire devoir t'aviser qu'il ne faut pas ouvrir la porte à ce genre de personnage. C'est une sangsue.

— Ne crie pas ! J'ai…

Sans baisser le ton d'un décibel, Philippe continua.

— Ta conduite est inexcusable. Ta mère et moi faisons tout pour te protéger contre ce journaliste et toi tu l'invites à entrer dans la maison ! Sers-toi un peu de ta tête ! Tu lui as promis quelque chose ?

— Non!

Thierry haussa le ton à son tour.

— De quoi parlait-il, juste avant de partir? J'ai entendu le nom de Lumino.

— Des suppositions fausses et blessantes pour nous déstabiliser. Réponds à ma question!

— Il veut que je lui raconte toute mon histoire…

— Il n'en est pas question. Je vais le…

— PAPA! Arrête, tu veux? Écoute-moi!

— Je n'ai pas le temps. Je retourne à l'hôpital. Tu m'expliqueras tout ce soir. Laliberté va entendre parler de moi. La maison a l'air d'un champ de bataille. Je croyais que tu étais assez mature pour te débrouiller seul. Si tu as besoin d'une nouvelle accompagnatrice, dis-le!

— Oui! Est-ce que Catherine…

— Elle est en Europe, Thierry! Tu le sais aussi bien que moi.

— Est-elle la tante de Mathieu Leclerc?

— Quoi?

Philippe avait entendu, mais la question le désarçonna tellement elle lui sembla hors de propos.

— Non! Elle n'avait aucun lien de parenté avec lui. Ne te tourmente pas là-dessus. Cesse de penser à ce meurtre. Tu te fais du mal.

— Facile à dire.

L'adolescent resta sans bouger. Philippe Roy tambourinait avec impatience sur le cadre de la porte.

Voyant la tête que faisait son fils, Philippe lui concéda un peu de son temps en soupirant.

— Des Leclerc, il y en a des centaines. C'est Laliberté qui t'a mis cette idée dans la tête? Elle est complètement farfelue. Il cherche à te briser.

L'adolescent ne savait plus s'il avait encore envie de se confier à son père.

— Non, ce n'est pas lui. Écoute, papa, le journaliste veut faire un article sur toi...

Philippe Roy s'immobilisa.

— Si je ne lui raconte pas les détails de mon enlèvement, Laliberté va dévoiler dans le journal que... tu avais bu le jour de l'accident.

— Qui lui a raconté ça? Ça remonte à huit ans. C'est du chantage!

— C'est ce que je lui ai dit. Il m'a répondu que c'était un marché.

— Le salaud!

Thierry fut déçu de la réaction de son père, mais il réussit à le dissimuler.

— Tu crois que je devrais accepter? Je n'ai pas confiance.

— Nous verrons. C'est un rapace, il en demandera encore.

Thierry espérait autre chose de son père.

Il se sentait oppressé.

— Il me laisse quelques jours pour lui donner une réponse. Papa? On dirait qu'il est au courant de plein de choses. Je sais tout, hein, papa ? Ça m'a mis tout à l'envers.

Catégorique, son père lui affirma :

— Oui ! On t'a tout dit. Il essaie de se rendre intéressant. Je dois retourner auprès de mes patients. Nous avons un peu de temps pour y penser.

Le jeune aveugle s'accrocha à ce petit «nous». Il acquiesça.

Thierry faisait les cent pas dans la maison, se parlant à haute voix.

Il mit à peine quinze minutes pour tout remettre en ordre, comme son père le lui avait ordonné avant de partir.

— Qu'est-ce que Laliberté a bien voulu dire à propos de Lumino ? Mon père et son sacro-saint travail... On dirait qu'il n'y a que ça qui compte... J'ai eu l'air de quoi ? Un incapable, un attardé. Comme si je n'étais pas concerné. J'essaie de l'aider à sauver la face et lui, il crie après moi ! Je ne le sais pas, moi, qui a raconté tout ça au journaliste. Le fantôme de l'école ? Ah ! C'est ma décision après tout. C'est moi qui ai accepté. J'aurais voulu quoi au juste ? Je ne sais pas... j'aurais aimé qu'il refuse... pour la forme au moins. Réfléchir... Pourquoi c'est moi qui paierais pour la faute d'un autre ?

En ramassant son sac, il chercha ce qui s'était brisé. Malgré le soulagement de constater que ce n'était que sa canne qui s'était rompue en absorbant le choc, il sentit monter en lui un grand désarroi.

— Un fantôme sadique m'empêche de vivre. Bon! Arrête de déprimer. Agis! Impossible que tout ça ne soit que des coïncidences!

Il jeta sa canne aux ordures et alla en chercher une autre. Sa «roue de secours», comme il l'appelait ironiquement.

Son ordinateur l'attirait comme un aimant. Il prit place devant l'écran. Après une longue hésitation, il l'ouvrit et tapa l'adresse du blogue dans internet.

Tout était faux. Monstrueusement faux.

Rien ne tenait debout. On y faisait la description de scènes obscènes auxquelles Mathieu et lui auraient accepté de s'adonner avec la complicité de Max!

Quelqu'un avait imaginé un scénario des plus dégradants qui laissait planer la possibilité que Thierry ait consenti à tout ce qui s'était déroulé lors de sa captivité.

Thierry encaissa le choc mais resta de marbre. Il devait oublier cette nouvelle blessure, sinon il deviendrait fou…

Malgré la dispute qu'il venait d'avoir avec son père, il gardait confiance. Il allait lui venir en aide pour résoudre ce nouveau coup dur. Parler à Philippe l'avait aidé à surmonter ses doutes à propos de Catherine. Une rage grondait en lui. Il était déterminé à livrer une chaude lutte à ses adversaires. C'en était trop de ces humiliations.

Il ne doutait plus de sa raison. La situation était trop absurde! Jamais il n'avait été consentant. Jamais! Rien de tout ceci n'était vrai. On voulait le détruire. Il allait résister.

La soirée fut pénible. Son père n'avait pas décoléré. Lorsqu'il entreprit de raconter à Laurence la visite du journaliste, la conversation dégénéra en chicane.

— Une entrevue avec notre fils? Non! Tu as refusé, bien sûr?

— …

— Philippe, réponds-moi? C'est non!

Son mari soupira profondément.

— Il nous a demandé d'y réfléchir…

— C'est tout réfléchi. C'est non!

— Laurence, je n'ai pas dit oui.

— Mais tu l'as envisagé?

— Il ne faut pas agir à la légère avec un homme de cette espèce…

— As-tu l'intention d'accepter?

Son père hésitait encore. Thierry essaya de calmer sa mère.

— Maman, je suis capable de donner cette entrevue.

— Tu crois pouvoir le faire, mais je…

— Philippe Roy! Je n'en reviens pas! Tu espères que ton fils va encore payer pour tes erreurs.

Prends tes responsabilités! Thierry, je t'interdis formellement de raconter quoi que ce soit à ce charognard. Sa requête est odieuse. C'est à ton père de trouver une solution.

— Ah! Dis-le donc que je suis un mauvais père?

— Tu es un bon père tant que ce rôle ne nuit pas à ta profession. Tu n'as pas changé! Tu ferais tout pour protéger ta réputation! Quitte à faire encore payer ton fils!

Le visage de Philippe vira au gris.

Les portes avaient claqué.

Thierry était tiraillé entre son désir d'aider son père et celui de respecter l'interdiction de sa mère. Laurence avait raison, Philippe aussi.

Il les entendit se disputer toute la nuit.

La révolte grondait dans l'esprit de l'adolescent. Il aurait voulu montrer à tous qu'il ne resterait pas à rien faire cette fois-ci. Il aurait voulu faire quelque chose de percutant, défier tous ceux qui s'appliquaient à lui rendre la vie impossible, qui se moquaient de lui ou qui lui donnaient des miettes d'attention par charité. Mais que pouvait-il faire?

Le sommeil tardait à venir. Il tournait dans son lit en quête d'une solution. Un rêve lui dicta le geste à poser.

Il était conscient que c'était dangereux. Il n'en connaissait pas l'issue et il savait qu'il s'exposait aux réprimandes de ses professeurs et aux foudres de ses parents, mais il ne pouvait plus faire appel à la raison.

La réussite de son entreprise reposait sur sa détermination.

Sa rencontre avec le journaliste lui avait fait réaliser sa force.

Tout le monde le craindrait. Son entourage le trouvait imprévisible, alors il le serait vraiment.

Il se remémora les paroles de l'employé municipal, Georges Ouellette : « Tu dois avoir un don, ça, c'est certain ! »

Au déjeuner, il ne dit rien de son projet à ses parents. La chose fut facile, car personne ne disait un mot autour de la table. L'ambiance était à la tempête.

Il avait tout planifié. Il avala son repas en vitesse et prit quelques instants pour nourrir Perçant. Il avait besoin de tout son temps.

Après le départ de ses parents, il aurait une vingtaine de minutes pour agir avant l'arrivée de l'autobus. Il avait peur, il ne pouvait pas prétendre le contraire, mais il était prêt à tenter n'importe quoi.

Dès qu'il fut seul, il alla chercher une muselière et la glissa dans son sac. Sa prudence lui permit de se prouver à lui-même qu'il n'avait pas complètement perdu la tête. Il sortit.

— Assis ! ordonna-t-il au chien avec autorité.

Le chien s'exécuta.

Il lui mit une laisse et le détacha de sa niche… Le chien resta assis sans bouger.

Le plus délicat restait à venir. Lentement, il sortit sa canne et la déplia. À son grand étonnement, la bête se coucha puis appuya sa tête sur ses pattes. Thierry avança doucement la main vers lui et lui dit.

Max t'a battu souvent, hein? Non, ce n'est pas pour te battre, ce genre de bâton. Nous allons à l'école ensemble aujourd'hui.

Puis il lui ordonna d'un ton ferme :

— AU PIED!

La promptitude du chien à lui obéir le conforta dans sa décision.

Thierry se demanda si c'était sa canne qui avait fait agir le chien ou son… don.

«Un peu des deux peut-être.»

La porte de l'autobus s'ouvrit. Le conducteur eut un geste de recul en apercevant l'adolescent et l'inquiétante bête. Il hésita à les faire monter, mais il ne pouvait pas leur refuser l'accès.

— Tu peux le maîtriser?

— Oui, monsieur. C'est mon chien-guide.

— Il est où, son harnais?

— Il n'en a pas besoin, osa-t-il affirmer.

Il ajouta sans l'ombre d'une hésitation :

— J'ai besoin de lui.

— Hum! Bon, monte.

Il voulut lui dire de le garder à l'œil, mais il ravala ses paroles.

Thierry Roy prit place seul sur une banquette.

Le vide se fit autour de lui. Un lourd silence s'installa.

Thierry n'avait pas encore franchi l'entrée de la polyvalente que, tel un raz-de-marée, la nouvelle s'était répandue.

La situation était incroyable, du jamais-vu. Le jeune aveugle percevait les élèves qui s'éloignaient de lui dans l'agitation. Il entendait des exclamations de surprise, des chuchotements inaudibles autour de lui. Personne n'osa l'approcher. Il évoluait dans l'œil du cyclone qu'il avait lui-même provoqué.

Il ne chercha pas à écouter les bavardages. Il se concentrait sur Perçant. Il se moquait de qu'on disait pourvu que ceux qui tentaient de l'intimider comprennent le message. Personne ne viendrait lui barrer le passage ou le pousser aujourd'hui.

Le début des cours s'en trouva perturbé. Le singulier duo traversa les corridors pour se diriger vers la classe de Thierry.

Thierry parlait sans arrêt à la bête pour la calmer. Ce n'était pas son Lumino! Rien à voir! Il la sentait nerveuse, mais il parvenait à la faire marcher au pas malgré toute l'agitation autour d'eux. L'adolescent connaissait le trajet par cœur. Il se rendit directement à sa classe sans passer par le vestiaire. Il garderait son manteau, question de réduire au maximum ses déplacements.

Il prit place à son bureau.

— Perçant, couché!

Il y était parvenu! Sa poitrine se gonfla de fierté. Il avait relevé le défi.

Comme dans l'autobus, les pupitres l'avoisinant se vidèrent de leurs occupants.

Il entendit le professeur arriver au pas de course. Sans trop s'approcher de lui, il tenta de le raisonner.

— Thierry, tu ne peux pas venir en classe avec ce chien. Ce n'est pas un chien-guide!

— C'est mon chien-guide!

— Ne joue pas avec la sécurité de tes camarades. Ce chien doit sortir d'ici.

— Je ne joue pas, répondit Thierry en serrant les dents.

Perçant grogna.

— Tout le monde dans le corridor, s'il vous plaît! ordonna le professeur. Sans bousculade! Je vais avertir le directeur.

Il y eut des pas précipités tout autour, puis le bruit alla en décroissant. Ils étaient tous sortis.

Sa mère entra dans une colère volcanique quand le directeur lui raconta la situation au téléphone. Elle se précipita à l'école et n'en crut pas ses yeux.

— Dis-moi que je rêve, Thierry! C'est suicidaire! J'ai failli faire une crise cardiaque! Et je ne suis sûrement pas la seule… POURQUOI?

— Je ne suis pas un tapis sur lequel on peut s'essuyer les pieds! Je suis écœuré! Je veux que tout le monde le sache!

Cette réponse cinglante laissa Laurence Roy bouche bée. Sa colère retomba, même si elle désapprouvait ce que son fils avait fait.

— Allez chéri, on rentre à la maison.

Sous les yeux de ses professeurs et de ses camarades, le jeune aveugle sortit la muselière, l'enfila au chien et quitta les lieux en tenant le bras de sa mère.

Cette dernière était silencieuse, confuse quant à l'attitude à adopter face à ce geste de révolte, car c'en était un. Un appel au secours aussi.

Un mélange de fierté et d'effroi l'habitait. Perçant était une vraie bombe qui pouvait exploser à tout moment. On avait frôlé la catastrophe.

Mais son fils avait démontré avec éclat sa combativité face à l'adversité.

Une vague d'émotion la submergea en réalisant que la véritable catastrophe n'avait pas eu lieu.

C'était un geste plein de vie…

Même s'il savait qu'il n'échapperait pas à la tempête, l'adolescent se sentit soulagé en entrant dans la voiture : le directeur n'avait pas averti son père.

Pendant tout le trajet, il garda la tête dirigée vers la fenêtre, l'air anxieux, fuyant le regard de sa mère.

Le long soupir que fit entendre sa mère n'augurait rien de bon. Mais quelle importance au point où il en était rendu ?

«Un peu plus, un peu moins…», se résigna-t-il.

Enfin, Laurence rompit le silence.

— Chéri, ce que tu as fait était vraiment dangereux. Un geste de pure folie! Elle le vit hocher la tête.

— Hum… Je ne devrais pas te dire ça, mais… je suis extrêmement fière de toi!

Ouf! L'adolescent tourna la tête vers sa mère.

— Tu as eu du cran, continua-t-elle.

Incroyable!

Ne quittant pas des yeux la route, Laurence attira son fils vers elle et lui fit un rapide baiser sur la joue.

Entendre ces mots d'admiration de la bouche de sa mère laissa l'adolescent pantois. L'orage annoncé n'aurait pas lieu.

— Quoi? Tu n'es pas en colère contre moi?

— Oui, je suis en colère, mais je te comprends. Il arrive un moment où il faut laisser sortir la vapeur. Je devine ce que tu vas me demander. C'est d'accord, je n'en parlerai pas à ton père. Il n'a pas l'ouverture d'esprit nécessaire ces jours-ci pour accueillir ce genre de nouvelle. Ce sera un secret entre nous. Par contre, ne recommence plus.

— Juré! Merci… d'être de mon côté! Je t'aime, maman.

Elle fut toute chavirée. Un pur moment de bonheur venait de se faufiler parmi la bousculade des inquiétudes que lui faisait vivre son adolescent. Elle le regarda du coin de l'œil, émue.

— Je suis toujours de ton côté et tu le sais. Je t'aime aussi. Tu es un combattant, chéri. Tu vas t'en sortir, Thierry, grâce à ta volonté.

Un petit sourire anima le visage de son fils. L'adolescent releva les épaules. Il reçut avec gratitude ces encouragements. Il tourna à nouveau son visage vers l'extérieur, fier de lui, cette fois-ci, et de ce qu'il avait réussi.

Après que Thierry eut attaché le chien à sa niche, Laurence ramena son fils à l'école. Elle passa voir le directeur pour lui expliquer la situation, l'assurant qu'un tel évènement ne se reproduirait plus.

Jordan et Moisan avaient pris l'habitude de se retrouver au restaurant du centre commercial de la ville où résidait Thierry Roy.

Luc était impatient de raconter à Éric la semaine qui venait de s'écouler. Dissimulé par les hautes banquettes, Luc lui déballa ses exploits.

Éric riait tellement qu'il en avait les larmes aux yeux.

— Maudit Luc ! Arrête ! T'as pas fait ça ?

— Oui ! Une gélule, c'est pas grave ! Je te l'avais dit que tout serait réglo. Et personne pour nous trahir. De ton côté, tu as été un pro avec Clovis. Là aussi, nous avons réussi. Nous sommes les meilleurs.

À contrecœur, il lui raconta ce qui faisait jaser toute l'école, l'arrivée de Thierry avec le doberman. Un vrai remous.

— Ouais ! Avoue qu'il a gagné cette manche. Le chien n'est pas mort et il lui obéit. Personne n'aurait pu faire ça.

— Écœure-moi pas avec ça. Je n'avoue rien, déclara-t-il de mauvaise foi. S'il pense que ça va m'impressionner.

Marquant une légère pause, Éric fixa son café puis lâcha :

— Luc, moi, j'arrête. Je veux tourner la page. Passer à autre chose. Ça ne m'amuse plus.

— Fais pas le cave.

— Il y a du nouveau. Ma mère m'a appelé pour dire que mon père est prêt à passer l'éponge. Il veut que je termine mes études. J'ai besoin de son argent pour ça.

Les yeux de Jordan se durcirent.

— Ça ne te prend pas grand-chose pour te contenter. À t'entendre parler, pas plus tard que samedi dernier, t'avais du mal à respirer tellement t'étais en criss contre lui.

— C'est vrai. La situation me mettait en criss. Je mange de la marde depuis novembre à cause de tout ça. Et j'avais rien de mieux à faire. Mais là, les choses changent. Mon père est prêt à m'aider. En plus, Roy ne sait peut-être pas que c'est nous, mais c'est dangereux.

— D'abord on est en mars, c'est trop tard pour t'inscrire à la session d'hiver. Et je te l'ai dit, on ne peut pas se faire «pogner». Moi aussi je veux passer à autre chose, mais pas maintenant. Puis je ne t'ai pas encore tout raconté. J'ai vu Max cette semaine. Il m'a refilé un tuyau. Hyper intéressant.

Tu vas voir, nous allons rigoler ensemble. T'es mon chum. Tu me suis? Tes parents ne savent rien, j'espère?

Éric regarda fixement Luc :

— Qu'est-ce que tu sous-entends?

Luc ignora sa question et poursuivit :

— Lâche-moi pas. J'ai besoin de toi. C'est toi qui connais Clovis, pas moi. Un jour que j'étais dans la chambre de Thierry Roy, j'ai juré que s'il venait à parler, je lui ferais payer sa trahison.

— J'ai peur que ça dérape.,

— Non, rien à craindre. Les journalistes vont avoir la peau des Roy grâce à moi.

Luc regarda autour d'eux. Il appuya ses coudes sur la table pour s'approcher de son vis-à-vis et tout bas, il lui confia :

— Thierry Roy va avoir tellement honte. Max pense que je vais me fendre le cul pour lui donner des nouvelles fraîches. Pourquoi? Pour alimenter ses fantasmes! Qu'il sèche! Il m'a même fait des menaces voilées, le malade.

— Qu'il moisisse dans son trou, celui-là.

Luc hocha la tête tout en continuant.

— Quand tout sera fini, Thierry Roy n'osera même plus se rendre de son lit à la table sans se demander s'il n'y a pas quelqu'un derrière lui. Tu vois où je veux en venir? À ce moment-là seulement, je lui ferai savoir que nous avons tout manigancé.

Éric déglutit péniblement. Il observait le gars en face de lui qui se disait son chum. Ses paroles lui faisaient peur, et ses silences, plus encore.

— Ah! J'aurais aimé ça que tu lises le message qu'il a trouvé sur son casier. Tu iras voir sur le blogue.

Luc lui raconta rapidement de quoi il en retournait.

— Tu as écrit ça?

— Es-tu malade? Non, c'est pas moi qui ai écrit la note.

— Momo? Il est fort en informatique.

— Non plus. Momo n'aurait jamais accepté, c'est trop risqué pour lui. Il m'a dit que ça prenait quelqu'un de sûr de lui.

Les yeux d'Éric s'agrandirent d'étonnement.

— Hein? Tu sais de qui il s'agit? dit-il, l'air inquiet.

Luc haussa les épaules, indifférent à l'anxiété de son ami.

— C'est super. Si la police se pointe, elle suivra une piste qui ne la mènera pas à nous.

Ils restèrent un moment sans rien dire, puis Luc mit fin à ces atermoiements:

— Sois pas peureux, Éric. C'est juste de petits coups d'aiguilles que l'on donne. Ça n'intéresse personne. Qui pourrait nous dénoncer, hein ? Personne. On va lui faire sauter la casquette !

# Chapitre XI

*Le courage d'agir*

L'euphorie que Thierry avait ressentie suite à ce coup d'éclat fut de bien courte durée.

Il se demanda même si tout ceci avait servi à quelque chose, mis à part qu'il avait vu sa mère se rallier à sa cause.

Il avait reçu des félicitations empreintes d'admiration de certains de ses camarades de sa classe, mais il avait espéré beaucoup plus.

Il n'avait eu aucune nouvelle de Roxanne et il ignorait si ceux qui le harcelaient avaient compris le message. Sa méfiance envers son entourage était toujours aussi vive.

Son père était tellement préoccupé par la menace de Laliberté qu'il fut facile de passer sous silence son geste de défi... et bien d'autres choses.

Le climat familial s'apaisa un peu lorsque Philippe déclara à table, d'une voix grave, que personne ne parlerait à cet individu.

— Tu as raison, Laurence, c'est à moi de faire face. J'ai informé la direction de l'hôpital de la situation. Advienne que pourra. Qu'il publie ce qu'il veut, nous aviserons.

Thierry devinait ce qu'il en avait coûté à son père pour en venir à cette décision qui ne faisait plaisir à personne.

La solitude lui pesait plus que jamais. Après avoir hésité longtemps, l'adolescent se décida. Il respira un grand coup puis décrocha le téléphone.

Son appel terminé, il enregistra en vitesse un message pour ses parents sur un petit magnéto-phone qu'il déposa sur la table. L'adrénaline rendait ses gestes fébriles. Il n'avait plus de temps à perdre.

— Zut! Il faut que j'appelle Blouin, sinon il va encore moucharder.

La conversation fut brève. Il s'excusa pour la musique, comme il l'avait promis à son père. Il fit croire au vieil homme qu'il ne pouvait lui parler long-temps, ses parents ayant envoyé quelqu'un le cher-cher pour l'amener au gymnase du centre culturel.

Lucien tenta d'en savoir un peu plus, mais l'ado-lescent coupa court à l'entretien. Poliment mais fer-mement.

Il chercha dans son tiroir, bien cachée sous une pile de sous-vêtements, une photo en lien avec l'identité de ses harceleurs.

Ensuite il prit le message du gars- à- la-gomme et celui qu'on avait collé sur son casier et il les mit dans ses poches.

Enfin il mit son manteau et prit sa nouvelle canne.

« Ça passe ou ça casse. »

Il ouvrit la porte au moment même où deux brefs coups de klaxon se firent entendre, comme convenu.

Attablé au petit restaurant du centre commercial, Thierry ne savait plus par où commencer.

Roxanne avait accepté sans hésiter de le rencontrer.

Elle était libre de son temps puisque Clovis travaillait toute la soirée. Elle faisait une entorse à la promesse qu'elle lui avait faite parce qu'elle souhaitait comprendre ce qui se passait avec Thierry. Elle voulait en avoir le cœur net.

L'adolescent avait les mains froides. Son cœur palpitait, il avait le souffle court et la bouche sèche. Maintenant que Roxanne était là en face de lui, il ne trouvait plus les mots qu'il avait pourtant préparés avec soin. Avec des gestes mesurés, il chercha le bol de café au lait que Roxanne lui avait offert. Il l'entoura de ses deux mains, cherchant à se réchauffer.

La jeune femme l'observait. Si Thierry avait eu le courage de l'inviter, elle allait au moins lui donner sa chance et l'écouter.

— C'est une bonne idée de m'avoir donné rendez-vous au centre d'achats. Même si nous n'avons rien à cacher, au moins nous sommes sûrs que Lucien Blouin n'est pas en train de nous espionner.

— Au moins…

— Tu as surpris tout le monde en arrivant à l'école avec ton doberman. Chapeau! Un véritable tour de force. Je l'ai raconté à Clovis…

— Bof, je ne sais pas si ça a servi à quelque chose.

— Certain. À gagner le respect des étudiants. Tu nous as tous impressionnés.

Thierry se sentit grandir de plusieurs centimètres.

Le silence s'installa. Roxanne regardait autour d'elle, cherchant des visages familiers. Elle en reconnut quelques-uns dans le mail à qui elle envoya la main, un soupçon de défi dans le geste. À la surprise de Thierry, elle lâcha :

— J'aimerais bien savoir quel imbécile s'amuse à nous espionner en ce moment.

— Maintenant?

Thierry tressaillit, toujours à l'affût du danger, ce qui n'échappa point à la jeune femme. Elle ramena son attention sur lui.

— Peut-être bien! Tu n'as pas cette impression désagréable, comme moi, d'être surveillé depuis quelque temps?

Cette question fit naître un sourire amer sur le visage du jeune aveugle.

— Oui, tout le temps.

— Ah…

Il y eut le bruit d'une tasse que l'on dépose avec brusquerie.

— Il faut que je sache ce qui se passe. Depuis une semaine, mon chum voit des rivaux partout… Pour dire vrai, je ne devrais pas être ici avec toi ce soir. C'est débile, hein ? Ça m'énerve.

La jeune fille fit une pause.

— Et lundi, c'est toi qui m'envoies promener.

Il l'entendit se reculer et se caler au fond de la banquette.

— Ça rime à quoi tout ça ?

Roxanne croisa les bras, en attente d'éclaircissements.

Son ton acerbe et accusateur rendait la démarche du jeune aveugle encore plus éprouvante.

— Tout ce que je voulais, c'est que tu passes une belle soirée. Et c'est des emmerdes que j'ai récoltées. Ça m'apprendra.

— S'il te plaît, pourquoi es-tu si en colère contre moi ?

— Tu n'as pas hésité longtemps avant d'aller raconter ce que je t'avais demandé de garder pour toi ?

— Quoi ? C'est faux ! Pourquoi j'aurais fait ça ? J'ai passé une soirée super grâce à toi et après je t'aurais trahi ?

Ces mots calmèrent la jeune femme.

— Mais… je te demande de m'excuser pour lundi. J'ai été imbécile.

— Je suis prête à te pardonner à condition que tu m'expliques ce qui s'est passé.

Thierry but lentement une gorgée de café qu'il avala à grand-peine tant sa gorge était comprimée. Enfin, malgré sa crainte de rallumer la colère de Roxanne, il alla droit au but :

— Clovis ne veut pas que je vous fréquente.

Une trace d'irritation embrouilla à nouveau la voix de la jeune fille.

— Voyons donc, qui a dit ça? Pas lui?

— Non, oui… peut-être. Je ne sais plus. Un de ses copains m'a fait le message.

— Hein? Tu sais qui c'est, ce gars?

Roxanne vit apparaître un papier plié dans les mains de Thierry.

— Non. As-tu su pour le truc qu'on a mis dans mon sac?

— Ouais! Pas fort, vraiment il y a des imbéciles partout. C'est méchant.

— J'ai pensé que c'était le copain de Clovis qui avait fait ça.

Cette affirmation fit bondir la jeune femme.

— Attends une minute. Qu'est-ce que tu insinues? Clovis ne ferait jamais exécuter ce genre d'imbécillité. Ce que tu as entendu samedi ne te donne pas le droit de penser que mon chum est un salaud!

L'emportement de Roxanne mettait Thierry dans l'eau bouillante.

— Non! Non! Mais c'est arrivé tout de suite après que j'aie reçu ce papier. Le type disait me le remettre de la part d'un gars que tout le monde admirait… et qui ne voulait pas que sa blonde traine avec un infirme…

Puis baissant la voix, il ajouta :

— C'était écrit que ce que tu as fait pour moi, tu l'avais fait par pitié…

Le jeune aveugle n'aurait jamais cru être capable de prononcer ces mots.

Thierry détourna la tête. La jeune femme laissa échapper un long soupir.

— Qui, à ce moment-là, pouvait me venir en tête, Roxanne ? murmura-t-il.

— Bon, je vais me calmer. Il faut que tu me dises la vérité : as-tu raconté à l'école que tu me fais marcher parce que j'ai couru après toi dans le corridor ?

— NON !

— Imagine-toi que c'est arrivé aux oreilles de Clovis. Il n'a pas apprécié du tout. C'est qui, alors ? interrogea-t-elle, en s'énervant.

L'adolescent secoua doucement la tête.

— Puis tu aurais dit que mon chum est un imbécile. Ça me retombe sur le dos. Si jamais j'apprends qui c'est, je te jure que…

Elle laissa sa phrase en suspens. La jeune fille n'aimait pas du tout le doute qui s'infiltrait en elle. Elle se remémora avec amertume la scène que Clovis lui avait faite deux jours auparavant.

Prétextant vouloir vérifier si elle avait inscrit son but gagnant dans son agenda, il avait osé lire son journal intime. Elle l'avait deviné quand, au cours de leur échange tumultueux, il avait repris mot pour mot ce qu'elle avait écrit sur Thierry. La dispute avait failli les mener à la rupture.

À la fin, il l'avait supplié de l'excuser. Elle lui avait clairement fait savoir qu'elle n'accepterait plus ses sautes d'humeur. Il avait promis de changer.

— Je te jure que j'y suis pour rien, assura Thierry. Il faut que tu me croies sinon tout ce que je te dirai ne servira à rien.

— OK, raconte.

— Il y a quelque chose qui ne colle pas. J'aimerais que tu me lises le message. Je ne l'ai montré à personne encore.

L'adolescent le tendit à Roxanne en se croisant les doigts.

Il l'entendit le déplier puis… plus rien. Le silence s'éternisait… N'y tenant plus Thierry demanda :

— Alors ?

— Je ne sais pas à quoi ça rime. Il n'y a rien sur ce message, seulement un dessin bête.

La voix de la jeune femme trahissait son mécontentement.

— Quoi ?

— On voit une main faisant un doigt d'honneur et un gros point d'exclamation.

Encore une fois, on l'avait ridiculisé. Et le message n'apportait aucun indice sur son auteur. Curieusement, il en éprouva du soulagement.

— Si c'est une blague, elle est de très mauvais goût.

— Elle a le même goût que la gélule, que ce torchon que l'on a collé sur mon casier et qui parle d'un truc à vomir qu'on a mis dans internet.

Thierry montra à Roxanne l'autre billet.

Le jeune aveugle attendit quelques secondes pour lui permettre d'en prendre connaissance.

— C'est dégoûtant!

— Oui! C'est comme... comme si j'avais tout accepté, même le meurtre de Lumino! J'aurais tout donné pour le sauver. Tu ne peux pas savoir à quel point sa mort me fait souffrir. La personne qui a écrit ce message le sait.

Leur entretien tournait à la confidence.

— Puis il y a eu cette plainte anonyme portée contre le chien errant. Puis encore un journaliste qui menace d'écrire des faussetés sur ma famille. Je ne sais pas de qui il tient tout ça... Et plein d'autres choses. Je me sens piégé.

— Jamais Clovis ne ferait des saletés pareilles. C'est un gars super, il est juste un peu jaloux. Je te le jure!

Voyant Thierry acquiescer de la tête, elle continua :

— Qui est derrière tout ça ? As-tu une idée ?

— Hum. C'est vrai que j'ai pensé que c'était ton copain, mais maintenant je sais que ce n'est pas lui. J'aimerais qu'on redevienne amis et que vous ayez confiance en moi. Vous deux, au moins !

Thierry ne vit pas le soulagement dans les yeux de la jeune femme, mais il le perçut dans sa voix empreinte d'émotion.

— Moi aussi, c'est ce que je veux : être ton amie.

Amie. Ce mot eut un effet merveilleux sur le jeune aveugle. C'était comme si on venait de déposer sur son corps, trop souvent glacé, une cape chaude et enveloppante. Tout à coup la vie pouvait être facile. Il sentit tout son corps se détendre.

— Tu es la première personne de l'école à qui je suis capable de parler de ce que je ressens depuis que j'ai perdu Lumino. Si je laisse aller les choses, je crois que je vais en mourir.

— Oh ! Oh ! Il ne faudrait pas exagérer. Ce n'est sûrement pas aussi grave. Tu n'es plus dans ton ancienne école. Ici, c'est différent.

— J'aimerais te croire.

Thierry songea aux confidences d'Étienne.

— Tu ne devrais plus rester tout seul.

— Je le sais, mais chaque fois que j'essaie de m'intégrer, on me le fait payer cher.

— Pas cette fois, Thierry. Tu peux me faire confiance.

— …

— C'est dégueulasse tout ce qu'on t'a fait subir. Tu n'as pas envie d'avoir un nouveau chien-guide ?

— Peut-être… Jusqu'ici, j'ai toujours refusé. Ça fait enrager mes parents. Mais je ne le fais pas exprès ! J'ai encore Lumino dans mon cœur.

Il ajouta rapidement :

— Je l'aurai toujours, mais tu vas peut-être rire de moi, j'ai découvert que j'avais réussi… une sorte d'exploit en me faisant obéir par Perçant. Avec Lumino, c'était facile, c'était de l'amour sur quatre pattes, si tu l'avais connu… C'était le chien le plus doux au monde !

Thierry déglutit difficilement.

— J'aurais beaucoup aimé le connaître.

— Avec le doberman, je me sens le maître, en contrôle. C'est comme un défi. J'ai tellement envie d'avoir un autre chien-guide, se surprit-il à confesser.

Mais pourquoi j'en adopterais un autre ? Pour risquer encore qu'il se fasse tuer ? Un chien, ce n'est pas une armure derrière laquelle on se cache, puis qu'on jette pour la remplacer par une autre si elle se brise. Lumino, c'est comme une partie de moi que l'on aurait arrachée ! Et si ça recommençait ? Je n'y survivrais pas. Un jour, lorsque ma vie sera un peu plus facile…

Quelque chose changeait en lui.

— Tu as raison, mais…

Roxanne cessa brusquement de parler, pour enchaîner en murmurant :

— Devine qui je viens de voir au fond du resto ? Tu te rappelles, le grand niaiseux qui nous a bloqué le passage samedi soir à l'aréna ? C'est lui !

Thierry se cala profondément contre la banquette pour se cacher et ne bougea plus. Même sa respiration un court moment s'interrompit.

Absorbée par ce qu'elle regardait, la jeune femme ne remarqua pas la réaction violente de Thierry.

— Ça me tenterait d'aller lui dire deux motsl'épais. Il y a quelqu'un avec lui, mais je ne le vois pas bien. Je ne t'en ai pas parlé samedi, mais ce type est venu au resto après la partie de hockey et il a parlé avec… Ça va, Thierry ? On dirait que tu ne te sens pas bien ?

Sans répondre, ce dernier lui tendit la photo qu'il avait apportée. Il ne put s'empêcher de se rappeler que c'était ce même geste qui avait déclenché le drame de son enlèvement. Il n'avait pas le choix, il n'avait rien d'autre pour identifier Éric Moisan.

— Cache-là ! Tu vois le gars sur la photo qui passe son bras autour de mes épaules ? Est-ce que c'est lui ?

Discrètement, Roxanne déposa le cliché sur ses genoux et y jeta un coup d'œil.

— Oui ! J'essayais de trouver à qui il me faisait penser ! Je le connais. Il s'est laissé pousser la barbe.

C'est un fanatique de hockey. L'autre, le gros sur la photo, je ne l'ai jamais vu. J'y pense… Comment tu as fait le lien entre cette photo et le type?

— Je l'ai entendu parler à l'aréna.

— Tu veux dire, tu l'as entendu marmonner…

— Oui. C'est suffisant.

La jeune femme émit un sifflement discret.

— Waouh!

Thierry ne réagit pas à cette exclamation flatteuse. Roxanne comprit que la situation était sérieuse en voyant l'expression dramatique de Thierry. Elle chercha des yeux l'homme qui s'était levé, espérant apercevoir son compagnon.

— Zut! Ils sont partis. J'ai manqué l'autre gars. C'est mieux comme ça, on a la paix.

— L'as-tu déjà vu à la poly?

— Non, jamais. Est-ce qu'il fait partie de la gang de fous qui ont failli te tuer?

À cette idée, la jeune femme se sentit mal.

— Oui, il s'appelle Éric Moisan et je peux te dire qu'il a des poings qui cognent dur… Le gros, c'est Momo Elliot. Le fantôme qui photographie : Luc Jordan. Maxime Thériault est le seul à être en prison. Ils ont promis de se venger. Des trafiquants de drogue, un tueur.

La voix blanche, Roxanne s'indigna:

— Ce sont des criminels! Il faut aller à la police!

— Pour leur dire quoi? Ce que je t'ai raconté, ce ne sont que des trucs blessants, idiots, mais sans conséquence. La police n'a pas le temps de s'occuper de ces enfantillages. Je ne suis même pas certain que ce soit eux.

— Des enfantillages? La diffamation, c'est un crime! Ça relève de la police. Des experts peuvent trouver la provenance de ces intimidations.

— Les policiers vont venir à l'école, les embêtements vont cesser puis tout va recommencer. Je le sais, c'est toujours ce qui se passe. La cour devait tout régler. Plus personne ne devait m'approcher.

— Je vais t'aider.

— C'est dangereux.

— Je suis concernée : ce type est une connaissance de Clovis!

Elle vit le visage de Thierry se décomposer.

— Thierry, calme-toi! Je te jure que je ne savais rien de tout ça. Je vais trouver l'identité de celui qui «nous» harcèle. Clovis va me le dire. Tu as ma parole. J'ai hâte de voir sa réaction quand il va apprendre tout ça.

— C'est risqué pour toi de me fréquenter.

— Je peux garder la photo?

L'adolescent hocha la tête.

— On peut en identifier deux sur cette photo. Clovis va me dire ce qu'il sait sur Moisan. Thierry, fais-moi confiance.

— J'ai pensé à quelque chose d'autre…

— Je t'écoute.

L'adolescent sentit la main de Roxanne frôler la sienne en signe d'encouragement. Il s'efforça de ne pas montrer son émotion.

— J'ai un autre problème. Je veux faire taire un journaliste qui nous importune, mes parents et moi. Est-ce que tu t'occupes toujours du journal étudiant?

## Chapitre XII

*Rages, au volant et autres...*

La circulation sur l'autoroute était fluide. Roxanne, au volant de sa voiture, écoutait Thierry lui raconter le cauchemar qu'il avait vécu. D'indignation, le cœur de la jeune fille battait à tout rompre.

— Je suis vraiment contente que tu m'aies téléphoné. Nous allons nous serrer les coudes. Si tu avais attendu plus longtemps, la situation n'aurait pu qu'empirer.

— Ou mal tourner...

Ils avaient dû quitter le restaurant lorsque Laurence, ayant rejoint son fils sur son cellulaire, lui avait ordonné de rentrer.

«Il est assez tard», avait dit sa mère.

Gêné par cette intervention parentale, l'adolescent protesta. Il rappela à Laurence qu'il n'était que sept heures trente. Sa mère demeura intraitable.

Soudain...

— Mais regarde-moi ces deux débiles !

— Quoi ?

— Par mon rétro, je vois deux fous qui coursent. Pourquoi les policiers ne sont jamais là quand ça arrive, hein?

Irritée, la jeune femme s'était mise à parler très rapidement.

— Ils viennent de dépasser par la droite. Malades! Ils slaloment entre les autos! Maudits imbéciles, ils vont provoquer un accident!

Dans un vrombissement d'enfer, une Civic doubla la Coccinelle, la sono à fond.

— Oui, c'est ça, allez vous faire tuer ailleurs

Roxanne leva les bras, en signe d'exaspération, pour reprendre aussitôt le volant.

La jeune fille vit le passager de la Civic sortir son bras de la voiture.

— Stupide! Espèce de mal... Excuse-moi, Thierry. Ça me met en rogne! On vient de nous faire un bras d'honneur. Bon, qu'est-ce qu'ils font maintenant?

— Quoi?

— Ils ont ralenti.

— On appelle la police?

— Pas le temps. Accroche-toi, Thierry.

Elle appuya sur l'accélérateur.

Le jeune aveugle se cala au fond de son siège, le plus loin possible. Il avait développé la phobie des coussins gonflables. C'est à cause d'eux qu'il avait perdu la vue.

Elle dépassa les deux voitures, regardant droit devant elle, sans tourner la tête vers les conducteurs pour ne pas les provoquer.

— Avec des arriérés mentaux comme ça, on ne sait jamais ce qui peut se produire. Heureusement, on quitte l'autoroute... Ils n'ont pas besoin de nous pour se casser la gueule.

Elle s'engagea dans la bretelle de sortie en ralentissant. Elle jeta un regard dans son rétroviseur.

— Épais! Ils nous suivent. Aïe! C'est une zone de quarante-cinq! Allez-y, dépassez! Mais... ils vont nous rentrer dedans! Ils sont drogués ou quoi?

Elle accéléra à nouveau, atteignant quatre-vingt-dix kilomètres à l'heure. Une des voitures les doubla pour freiner sec devant eux.

Prise en serre par ces enragés au volant, Roxanne donna un brusque coup de volant vers la droite afin d'éviter la collision. Elle réussit à freiner *in extremis* sur le bord du fossé.

La réaction rapide de Roxanne avait permis d'éviter le pire. Le choc que le jeune aveugle appréhendait ne vint pas.

Les deux autos, qui avaient à peine ralenti, accélérèrent en klaxonnant et en faisant crisser les pneus. Ils disparurent dans une épaisse fumée grise.

Tout s'était passé très rapidement. Le temps d'un éclair.

Le silence enveloppa l'auto, toujours immobilisée sur le bord du chemin.

De rares lumières illuminaient ce tronçon désert de la route. Le flot de voitures circulait normalement sur l'autoroute. Comme si de rien n'était.

À l'intérieur du véhicule, Roxanne, choquée par cette violence, était incapable de prononcer un mot.

Elle se cala au fond du siège, les mains soudées au volant. Elle semblait hypnotisée par les voyants du tableau de bord qui perçaient la nuit.

— Roxanne ?

Il entendit une respiration saccadée. La crainte lui noua l'estomac.

— Ils ont failli nous tuer ! dit-elle enfin, la mâchoire serrée.

Thierry avança lentement sa main vers la jeune femme et effleura son visage du bout des doigts afin de comprendre ce qui se passait. Son geste hésitant fut d'une extrême douceur.

— Roxanne ? Ça va ? Ils sont partis ?

Ce contact les fit tressaillir. Il retira précipitamment sa main. Roxanne sortit de sa torpeur et porta son regard vers l'extérieur de la voiture.

Sidérée, elle reconnut les deux chauffards.

— Non ! Ils sont encore là !

Les deux voitures étaient immobiles, masses inquiétantes se découpant dans la pénombre. Le faible halo de lumière qui les éclairait ne parvenait qu'à rendre la situation encore plus menaçante.

— Qu'est-ce qu'ils nous veulent?

Roxanne aperçut quelqu'un se profiler, telle une ombre chinoise, près de la voiture de tête et se pencher vers le conducteur. Après un bref échange, elle le vit s'appuyer sur l'auto et regarder dans leur direction, agité d'un tremblement comme s'il était animé... d'un fou rire.

— Ils trouvent ça drôle en plus!

— Tu vois qui c'est?

— Non, il fait trop noir!

La jeune femme laissa éclater sa colère :

— S'ils pensent me niaiser, ils se trompent, les petits cowboys.

À ces mots, elle ouvrit la portière.

— Non, Roxanne! Ne fais pas ça! On s'en va!

— Je veux leur dire ma façon de penser! Ils ont failli nous tuer, insista-t-elle. Je n'ai pas peur!

— Je le sais! Je t'en prie!

Il la retint par le bras. La pensée qu'ils pourraient s'en prendre à Roxanne lui était insupportable.

Elle referma la portière avec rage.

— Ce n'est pas une coïncidence...

Elle tourna vivement la tête vers le jeune aveugle.

— Pas encore tes drogués?

— Je ne le sais pas... mais ils étaient au restaurant... Et pourquoi ils restent là?

— Ouais, et je suis facile à repérer avec ma Coccinelle jaune citron. Ça m'écœure!

La conductrice jeta un bref coup d'œil dans le rétroviseur. Voyant une auto qui arrivait, elle en évalua la vitesse. Elle devrait agir vite.

— J'ai le temps, on part!

Aussitôt, elle enfonça l'accélérateur et ramena le véhicule sur la route. L'auto dérapa sur quelques mètres puis bondit, projetant une giclée de gravier derrière elle.

Le mauvais farceur eut à peine le temps de se plaquer contre la voiture.

Crâneuse, Roxanne éclata de rire en passant à leur hauteur.

Son départ fulgurant prit tout le monde par surprise et laissa les deux ombres en plan.

— Hourra! Je les ai bien eus!

Elle roulait à vive allure.

— Compose le numéro de cellulaire de ta mère. Je t'emmène au resto!

— Je ne crois…

— Laisse-moi faire, c'est moi qui vais lui parler. Nous allons voir Clovis Gagnon.

La jeune fille parvint à maîtriser le tremblement qui agitait sa voix.

Au téléphone, elle fut si convaincante, et si rassurante, qu'à la surprise de Thierry, Laurence accepta.

Clovis n'en crut pas ses yeux lorsqu'il les vit s'amener au restaurant, Thierry tenant le bras de Roxanne d'un peu trop près à son goût. Bien décidé à régler la situation une fois pour toutes, il alla droit vers eux.

Il se heurta au regard noir de Roxanne. Elle était blême d'indignation.

— Roxanne! Qu'est-ce que tu as? Tu m'inquiètes.

— Tu viens t'asseoir avec nous et tu m'écoutes!

Son commandement était si ferme qu'il s'exécuta sans mot dire. Clovis comprit qu'un évènement grave s'était produit.

❧ ❧

Éric se réveilla avec un puissant mal de bloc. La veille, il avait consommé dur avec Luc. Ils s'étaient éclatés une bonne partie de la nuit. Quand il était rentré chez lui, il s'était écroulé sur son lit tout habillé.

C'était quoi ce vacarme qui le tirait de son sommeil comateux? Furieux, il cria, la bouche pâteuse:

— Vos gueules! On est en pleine nuit!

Le bruit empira. Tentant de reprendre ses esprits, il écouta plus attentivement.

Quelqu'un martelait une porte avec furie. SA porte!

— Quoi, y a pas le feu? ronchonna-t-il. Il va la défoncer… J'arrive! J'arrive!, dit-il en bondissant hors du lit.

«C'est qui, l'espèce d'enfoiré qui vient à cette heure-ci?»

Il avait l'habitude que l'on vienne chez lui à toute heure quémander un peu de drogue. Il ne s'était jamais gêné pour profiter de ces situations, en profitant pour doubler ses prix, mais depuis le procès ces irruptions se faisaient rares.

Il alluma. La lumière lui fit cligner des yeux.

Décidé à faire payer l'intrus qui l'avait dérangé, il déverrouilla sans attendre de réponse.

— Tu vas regretter de m'av...

La porte s'ouvrit avec fracas et un poing s'écrasa contre son visage. La vitesse et la force du crochet droit le firent chanceler. Il reçut un deuxième coup de poing au plexus solaire qui le plia en deux. Il tomba lourdement sur les genoux, le souffle coupé.

Rudement sonné par l'assaut, Éric Moisan perdit connaissance un bref moment.

Après avoir fermé la porte d'un coup de pied, l'intrus fonça droit sur lui.

Retrouvant ses esprits, il réalisa avec stupeur qu'il avait les mains liées et les yeux bandés.

Il voulut réagir. C'était un costaud, il ne se laisserait pas faire! Il fit un geste pour se mettre debout. Deux mains, fortes comme un marteau-pilon, s'appuyèrent sur ses épaules et l'en empêchèrent.

— T'es qui?

Ces quelques mots lui résonnèrent dans le crâne.

— Montre-toi! Trop pisseux pour t'identifier? cracha-t-il.

Cette provocation resta sans écho. Personne ne lui répondait, mais il sentait quelqu'un lui tourner autour. Il se démenait, espérant se défaire de ses liens. Sans succès.

— QU'EST-CE QUE TU VEUX? MONTRE-TOI! GRRRR! ARRÊTE-TOI! TU ME FAIS C...

Plus le temps passait, plus la trouille lui obscurcissait les idées. Il avait peur, lui, l'athlète, les «muscles» comme plusieurs l'appelaient.

Se forçant à maitriser la rudesse de sa voix, il marchanda :

— C'est assez. Allez, parle au moins. Je n'ai pas d'argent, mais j'ai un peu de drogue. Gratuit... de la bonne...

Il entendit une voix exagérément nasillarde se moquer de lui.

— C'est ça, je vais t'en passer. Gratuit... de la bonne...

L'assaillant lui retira son bandeau.

— CLOVIS GAGNON! cria-t-il en s'étranglant. Maudit chien sale! Qu'est-ce qui t'a pris?

D'un coup de reins, Éric bondit sur ses jambes, fulminant.

Les deux hommes se firent face. La fureur de Gagnon faisait saillir les veines de son cou.

À proximité du visage d'Éric, il tonna en le secouant sans ménagement.

— QU'EST-CE QUI M'A PRIS? VERMINE! HYPOCRITE! ROXANNE A FAILLI AVOIR UN ACCIDENT PAR TA FAUTE, SALAUD! Et puis comment tu trouves ça, recevoir une volée sans rien voir?

— DÉTACHE-MOI! CE N'EST PAS MOI!

— Tu n'es qu'une crapule à gros muscles. Je vais te détacher lorsque tu m'auras dit le nom de tes complices.

Une colère sourde animait Clovis. Il cogna encore, un autre crochet de la droite à l'abdomen qui envoya Éric par terre. Puis il le souleva et le poussa brutalement sur le divan.

— Ma blonde m'a tout raconté. Tout! Dire que je me suis laissé manipuler par un gars de ton espèce. TU ES UN MINABLE! J'ai le goût de te vomir dessus.

Moisan formula péniblement.

— De quoi tu…

— Ta gueule! Ne fais pas l'innocent. Tu sais comment j'ai eu ton adresse. Thierry Roy, ça te dit quelque chose? Il est déjà venu ici, n'est-ce pas? T'es un triple salaud. Incapable de t'en prendre à quelqu'un de ta taille.

En entendant le nom de Roy, Éric gueula :

— DÉTACHE-MOI. TU VAS VOIR DE QUOI JE SUIS CAPABLE!

Ignorant ses provocations, Gagnon continua :

— Toi et je ne sais pas qui, vous venez de vous mettre un paquet de monde à dos. Le jeune a eu l'intelligence d'appeler à l'aide et il a trouvé la bonne personne à qui se confier. T'as voulu me faire croire qu'il y avait quelque chose entre eux ? MALADE ! lui cria-t-il à un centimètre du visage.

— Tu l'as cru, hein ? DÉTACHE-MOI.

C'en était trop. Clovis regarda Éric droit dans les yeux puis... il lui saisit l'entrejambe et serra avec force.

— Ah...

Prévoyant la suite, il lui colla la main sur la bouche. Éric lâcha un hurlement étouffé, se tordant de douleur. Gagnon l'immobilisa du genou.

— Arrête de crier. Tu veux alerter tout l'immeuble ?

N'obtenant aucun résultat, il serra plus fort. Moisan, les larmes aux yeux, s'efforça de se taire en se mordant les lèvres. Clovis relâcha légèrement la pression. Les choses bien en main...

— Tu ne connais pas Roxanne, toi ! Et ses copines vont l'appuyer. Pour moi tu n'existes plus. Je ne veux plus revoir ta sale face à l'aréna. Jamais ! Sinon, je te les coupe et je te les fais bouffer. Parole de capitaine. Fini les saloperies.

Des gens de ton espèce, on n'en veut pas. Si je n'entends plus parler de toi, tu n'entendras plus parler de moi. C'est simple. Le contraire est aussi vrai. Mais avant…

Gagnon chercha un téléphone. Il trouva un sans-fil traînant sur une chaise. Sans lâcher sa prise, il s'étira pour le saisir et le brandit sous le nez de Moisan.

— Tu me donnes le nom de ton complice sinon j'appelle la police. Accouche!

Larmoyant et avalant péniblement sa salive, Éric le supplia d'une voix ridiculement aigüe :

— AH! J'AI RIEN FAIT! ARRÊTE. On est copain. On a eu du bon temps ensemble.

— Copains? On parle de hockey deux fois par année! Tu me niaises. Le nom?

La pression de Clovis monta d'un cran, rendant la douleur insupportable pour Éric.

— Je n'ai pas de temps à perdre avec un gars qui a un dossier criminel.

Clovis le vit blêmir.

— Tes petites histoires de drogue, je m'en contrefous, mais… tenter de foutre le bordel entre Roxanne et moi… pour te venger d'un jeune de quinze ans, aveugle en plus! C'est chien! Tu viens de frapper un mur, Moisan. Bris de probation, ça peut aller chercher combien déjà?

— Clovis, je ne peux pas dire son nom, il va me tuer. Tu comprends, toi, un chum, ça ne se trahit pas.

— Laisse faire les faux scrupules. Son nom? Sinon, c'est la police qui te fera avouer. T'es prêt à prendre tous les blâmes? Waouh! Je ne te croyais pas si héroïque.

— Je vais te le dire! Arrête!

Clovis le lâcha. Moisant chercha son souffle. Il respirait un peu mieux mais continuait à gigoter sur le divan cherchant à soulager la douleur.

— Ça fait du bien, hein? Mais ça peut recommencer...

Éric vit dans les yeux de Gagnon qu'il ne plaisantait pas.

— Regarde.

Une photo apparut devant son nez.

— C'est lui qui espionne ma blonde puis qui s'acharne sur Roy?

Il entreprit de composer lentement le numéro.

— Si tu veux payer pour les autres, moi, je m'en sacre! Nous trouverons tout seul.

— ARRÊTE! Maurice Elliot.

— Bon, enfin. Commençait à être temps que tu allumes! Qui d'autre?

— C'est tout!

— C'est lui qui a mis la merde dans le sac de Roy?

— Quelle merde?

— Arrête de jouer l'innocent.

— OUI!

La voix d'Éric reprenait peu à peu son timbre habituel.

— Tu parles d'une ville de fous. DÉTACHE-MOI.

Sans hâte, Gagnon commença à le détacher et, juste avant de faire tomber les liens, précisa :

— N'oublie pas de prévenir ton copain de faire de l'air, lui aussi, sinon ça va être votre fête à tous les deux. Être barré dans les arénas d'une ville, tu n'en mourras pas, mais imagine si je m'arrangeais pour que tu le sois à travers le Québec… Pour un gars qui aime le hockey comme toi… Je te donne la chance de vous faire oublier! C'est très généreux de ma part. Ne considère pas ça comme une vengeance, mais… comme une leçon!

Il vit dans ses yeux que Moisan avait très bien compris.

Clovis pour le provoquer s'essuya les mains sur le divan et grimaça :

— Tu pues!

Voyant Éric se redresser, prêt à le frapper, il l'avertit :

— Touche-moi pas sinon la police rebondit ici en moins de deux. J'ai avisé Roxanne de les appeler si je n'étais pas revenu dans… quinze minutes, bluffa-t-il en regardant sa montre.

Il éclata de rire et dit :

— Ça va être serré. Comme dans tes culottes…

Moisan s'élança à sa poursuite, mais un éclair de douleur lui déchira le bas- ventre. Il se courba en deux et porta les mains entre ses jambes. Il acheva sa course vers la porte en clopinant.

— VA AU DIABLE, CLOVIS GAGNON!

Tout bas, il ajouta :

— Toi aussi, Luc, va au diable avec tes idées tordues. Je suis écœuré de cette histoire-là. Je le savais depuis le début que ça tournerait mal. Je l'avertis, après il fera ce qu'il voudra. Qu'il ne compte plus sur moi.

Sans tenir compte de l'heure tardive, il composa le numéro de cellulaire de Luc Jordan.

«J'espère qu'il n'est pas assez gelé pour ne pas me répondre.»

Un coup, deux coups, trois…

— Ah! Luc. C'est fini, claironna-t-il.

— Qui parle?

— Ben, c'est moi. Éric.

— T'as la voix haute, me semble!

— T'occupe pas.

Il lui répéta ce qu'il lui avait dit plus tôt dans la journée. Le jeu ne l'amusait plus.

Les menaces, les promesses, rien ne le fit changer d'idée.

Il conclut :

— Oui, j'ai été ton chum, mais c'est ici que ça s'arrête. Si tu veux continuer, ça te regarde.

J'ai donné un nom.

— QUOI?

— Panique pas. IL NE M'A PAS LAISSÉ LE CHOIX. C'est clair? J'ai donné le nom d'Elliot. Personne ne va pouvoir l'identifier. À ta place, je me ferais oublier avant qu'il soit trop tard. Je ne veux pas payer pour toi.

— L'histoire se répète, on dirait, mais cette…

— N'essaie plus de me rejoindre, je ferai de même de mon côté. Tu perds sur toute la ligne, Luc, et c'est Thierry qui va te faire manger ta casquette!

La tonalité de son cellulaire indiqua à Luc qu'Éric venait de lui raccrocher au nez…

— BÂTARD DE CHIEN SALE. THIERRY ROY VA ME LE PAYER. IL N'AURA PAS LE DERNIER MOT! gueula-t-il.

Sans se soucier de son père qui dormait à l'étage, Jordan avait crié sa rage… Rien ne se déroulait comme il le voulait.

Il donna libre cours à sa frustration. Il frappa contre les murs et jeta par terre tout ce qui lui tombait sous la main, ajoutant un peu plus au chaos de sa chambre.

Tout son monde s'effritait, pensait-il, depuis qu'il avait rencontré Roy.

Benoît Jordan se réveilla en sursaut. Il descendit en courant. Il se heurta à la porte close de la chambre de son fils. Il frappa du poing.

— LUC, qu'est-ce qui se passe? C'est toi qui as crié? Tu es malade?

— VA CHIER, rugit-il.

Benoît retourna prestement sur ses pas et revint en vitesse avec un passe-partout. Il déverrouilla la porte. Exaspéré, il empoigna son fils par les bras et le secoua.

— J'en ai assez! Tu vas me parler sur un autre ton.

Benoît Jordan avait l'impression d'avoir vieilli de dix ans depuis l'affaire du jeune Roy. Il en avait plein le dos de cette guerre de tranchées, du mutisme de Luc ou de ses provocations. Jour après jour.

Pourtant, il persistait à espérer. Il avait même menti pour protéger son fils, assurant au responsable de son dossier qu'il était au courant de l'emploi du temps de Luc et que ce dernier faisait des efforts louables.

Luc était champion pour jouer le gentil garçon durant ses rencontres décrétées par la cour. Benoît se justifiait en pensant que son fils avait droit à une autre chance.

Mais il commençait à douter du résultat de ses efforts. Quand il vivait des scènes comme celle de cette nuit, il avait le goût de tout laisser tomber.

Il perdit patience quand il vit les yeux injectés de sang et le visage en feu de Luc.

— Tu es bourré? LUC, ÇA SUFFIT. ÇA TE MÈNE OÙ TOUT ÇA?

— Ce n'est pas la drogue qui rend fou, mais des vieux comme toi qui s'occupent des morveux des autres toute la journée.

Poussé à bout par cette attaque, Benoît leva la main, menaçant Luc.

— T'as jamais eu de fessées de ta vie et ça, je le regrette !

Son fils lui fit face.

— Si tu commences aujourd'hui, tu vas le regretter.

Luc poussa son père. Benoît fut tenté de le pousser à son tour, mais il se retint de justesse. Il lui tourna le dos et sortit.

Lorsque son fils était dans cet état, les gestes, les mots ne servaient à rien, sinon à aggraver la situation.

— COUILLE MOLLE !

— MON PAUVRE LUC.

— TIENS, UN AUTRE. JE NE SUIS PAS TON «PAUVRE» LUC. TU RESSEMBLES À MAX !

Cette insulte vaseuse laissa Benoît perplexe.

Oui, il en avait plein le dos. Ça empirait. Jour après jour.

# Chapitre XIII

*Jusqu'où ira Luc?*

Cette fois, lorsqu'elle prit place à la table de Thierry, la jeune fille reçut un accueil enthousiaste.

— Salut!

— Salut Roxanne! Je suis content que tu sois là!

La réaction de Clovis au restaurant avait été au-delà de ce que Thierry espérait. À peine deux jours plus tôt, il n'aurait pas crû possible cette réconciliation. Il avait gagné son amitié.

La jeune fille ouvrit son sac. Thierry entendit un bruissement de feuilles.

— Tu ne devineras jamais où Clovis est allé en finissant de travailler?

— Non.

— Il est allé rencontrer Éric chez lui!

— Hein! Il a fait ça?

— Oui! Il m'a dit que la discussion avait été assez… musclée.

— Il ne s'est pas battu, j'espère?

— Il n'a pas voulu me raconter les détails, mais je pense que j'aime mieux ne pas le savoir. Deux gars aussi costauds qui s'expliquent entre quatre yeux…

Je n'aurais sûrement pas approuvé. En tout cas, Clovis lui a fait comprendre clairement qu'il ne voulait plus l'avoir dans les parages. Super, hein?

Thierry hocha la tête.

— Tu sais ce que je tiens dans les mains? Trois surprises! Premièrement, le message que tu m'as envoyé par internet. Il est parfait.

— J'y ai travaillé presque toute la nuit sans que mes parents s'en aperçoivent. Pratique de ne pas devoir allumer des fois.

— Ça va être prêt à temps! Ah oui, et le petit malin qui nous surveille, c'est Maurice Elliot

Thierry resta songeur, inquiet.

— Tu es difficile à faire sourire, toi.

— Maurice Elliot? Non, il a menti.

— Tu penses? En tout cas... Deuxièmement, j'ai fait une trentaine d'agrandissements couleur de la photo que tu m'as remise et je les ai distribuées à mes copines. Elles vont les afficher partout. J'ai fait un petit montage bidon. J'ai écrit :

Cherche et trouve :

Où sont Éric, Maurice ou Luc (et non Charlie!)?

Si tu rencontres un de ces gars à la poly

Trouve au plus vite la porte du directeur

Et ça, à n'importe quelle heure!

Ce n'est pas une farce, la police te dira merci.

— Capotant, tu ne trouves pas! En plus, ça va servir à autre chose. Devine ce que j'ai ajouté?

Thierry secoua la tête

— Un lien internet pour porter plainte contre le harcèlement sexuel! Cyberaide.ca. Super, non?

— Ouais! Mais afficher la photo des gars, tu crois qu'on peut faire ça?

— Oui, monsieur.

Roxanne appuya sur ses mots afin de le rassurer

— J'ai demandé la permission au directeur. Il était à cent pour cent d'accord avec cette initiative. Ils n'ont pas le droit de s'approcher de toi! Tu aurais dû voir l'enthousiasme des filles. Je leur ai fait lire ton texte. Plusieurs étaient secouées. Il y en a même une qui a éclaté en sanglots. Nous aurions aimé ça, le connaitre, ton Lumino. Je suis la présidente de ton fan-club, ajouta-t-elle, taquine.

La jeune fille sourit en voyant le visage de Thierry s'empourprer. Mais elle redevint sérieuse en voyant sa mine dramatique malgré les efforts qu'elle faisait pour le dérider.

— Qu'est-ce qui te tracasse, Thierry? Dis-le-moi.

— Celui de la gang que je redoute le plus n'est pas sur la photo.

— La troisième surprise, écoute bien...

Roxanne fit une pause pour produire son petit effet.

— Clovis... a fait, sans me le dire, des recherches dans internet. Il a trouvé une photo de Luc Jordan.

Nous avons fait un montage et nous l'avons mise à la place de la tienne !

＊ ＊

Petit lundi matin maussade.

Laliberté, les pieds sur son bureau, prenait connaissance de son courrier. Il n'avait reçu aucune nouvelle de Philippe Roy. Tant pis ! Son article de démolition était prêt. Dès demain, il paraîtrait.

Un confrère de travail fit glisser sa chaise jusqu'à lui et s'exclama :

— Hey ! Laliberté, t'as vu le bel édito ? Il ne manque pas de souffle. Tu te fais planter par un étudiant du secondaire, on dirait !

— De quoi tu parles ?

— De ça ! Thierry Roy, ce n'est pas le jeune aveugle qui a fait les manchettes en novembre ?

Il brandit devant lui un journal qui ne payait pas de mine : six feuillets agrafés.

— Il n'a pas mâché ses mots, le jeune. Même si ton nom n'est jamais mentionné, tout le monde va se payer ta tête. Tu seras dans la mire des gardiens de l'éthique professionnelle des journalistes. Il paraît que tous les journaux vont le recevoir en même temps. C'est ce que le type qui les distribue m'a dit. À ta place, je me tiendrais tranquille ! Lis ! J'appelle ça un éditorial qui a du punch.

Laliberté laissa tomber lourdement ses pieds sur le sol et lui arracha le journal.

— Ça va, ça va. C'est quoi ce bobard?

Il n'en crut pas ses yeux lorsqu'il vit en grosses lettres, sur la première page :

*Qu'est-ce que LA LIBERTÉ?*

*Liberté : Indépendance, pouvoir d'agir. Ça, c'est la définition du dictionnaire.*

*Pour d'autres, pour moi, c'est aussi le droit de se taire.*

*Si quelqu'un exige que je raconte des choses et que j'agis contre ma volonté, ce n'est pas La liberté!*

*Si quelqu'un est prêt à traîner dans la boue des gens honnêtes en mentant ou en déformant la vérité, ce serait au nom de La liberté?*

*Je m'appelle Thierry Roy, j'ai vécu des choses horribles. Si quelqu'un, au nom de La liberté, voulait m'obliger à étaler mon histoire sur la place publique pour satisfaire l'appétit des lecteurs, sans se préoccuper de ce que je ressens, je pense qu'on pourrait appeler ça de l'abus de pouvoir, comme disent les professionnels de la communication.*

*Et si quelqu'un employait le chantage pour arriver à ses fins, encore au nom de La liberté, ça s'appellerait comment?*

*Afin que personne ne se donne le droit de déformer le récit de ce que j'ai vécu, j'ai décidé de le raconter au seul journal en qui j'ai confiance : celui de mon école. Le voici, en exclusivité.*

Le compte-rendu était simple et sans équivoque. Thierry y décrivait les faits sans tomber dans le sensationnalisme, évitant les commentaires sur ses états d'âme. Un récit un peu maladroit, mais précis. Même la description des moments les plus dramatiques fut sobre.

L'aspect tragique de son histoire en était d'autant plus sensible.

Thierry terminait en ces termes :

*J'ai trouvé difficile d'écrire tout cela… J'espère que ça pourra servir à quelqu'un. Laisser aller les choses ne règle rien. On a trop à perdre. Pour moi, ce fut mon Lumino.*

*Aux journalistes qui suivent l'affaire depuis le début, j'aimerais demander : s'il vous plaît, laissez-moi tranquille.*

*Merci de respecter Ma liberté !*

*Thierry Roy, 15 ans*

— J'aurais dû me méfier de lui. Il a du front tout le tour de la tête. Le petit salopard !

— C'est bien de toi dont il s'agit ? Du chantage, hein ?

— Non ! Ce papier minable, c'est une farce grotesque, un mauvais jeu de mots d'un adolescent en mal de sensations. Voyons, tu me connais !

— Oui…

Son collègue fut tenté d'ajouter « Je te connais trop bien », mais il jugea prudent de ne pas insister.

— Je ne sais pas ce que tu avais en tête, mais un conseil : à ta place je ne ferais pas trop de vague. Le jeune aveugle a la sympathie du public. Si tu t'acharnes sur lui, tu t'en mordras les doigts. Estime-toi heureux si personne n'a l'idée de publier ça.

Laliberté n'écoutait que d'une oreille.

— Philippe Roy fait semblant de s'indigner : « C'est à moi que vous aurez affaire, Bla ! Bla ! » Première nouvelle, il laisse encore son fils agir à sa place.

— Peut-être, mais le résultat est le même.

— Il est loin d'être « clean », le docteur.

— Plus personne ne te croira. Laisse-le jeune tranquille, comme il le demande…

En retournant à son bureau, il ajouta en riant :

— La… Liberté !

Dans un excès de colère, le journaliste déchira le feuillet et le jeta à la poubelle. Toute son affaire avait foiré.

🐾 🐾

Ce jour-là, Thierry reçut un message par courrier électronique.

*« Ton père s'en sauve encore une fois en se cachant derrière toi. Il peut te remercier à genoux ! J'abandonne.*

*Je suis convaincu que tu aurais été à la hauteur. Si jamais tu changes d'idée, fais-le-moi savoir.*

*Je ne suis pas le grand méchant dans cette histoire. Laliberté»*

Jubilant, Thierry leva les bras au ciel en criant :

— Hourra! Yeah!

Cette victoire lui mit du baume au cœur et lui fit oublier les jours difficiles qu'il venait de vivre.

La porte d'entrée s'ouvrit.

— Thierry? Thierry! Nous sommes là. Viens nous rejoindre.

Ces paroles avaient été dites à l'unisson. Laurence et Philippe semblaient d'humeur festive. Il les entendit rire et en éprouva un sentiment de bien-être. Ses parents avaient vécu des jours sombres. Cette période de grande tension lui avait fait redouter le pire. Leur complicité le rassura.

— Oui, j'arrive.

En vitesse, il activa la touche : imprimer.

— Ton père a reçu une bonne nouvelle.

Il ramassa la feuille éjectée de l'imprimante et attrapa le journal de l'école. Il les emporta avec lui, vibrant de fierté.

— Moi aussi j'en ai! Plus qu'une!

Il y avait si longtemps qu'il avait senti ses parents d'aussi bonne humeur qu'il pensa que c'était le bon moment pour leur raconter ce qu'il vivait à l'école.

Il était si rare qu'ils aient un peu de temps à lui consacrer.

Lorsqu'il se mit au lit, Thierry constata qu'il avait failli déclencher une autre dispute.

L'adolescent s'était ouvert à ses parents de ses inquiétudes à propos de la bande de voyous qui le harcelait, tout en tentant de les rassurer.

— Ils n'ont pas le droit!, s'insurgea sa mère. La direction de l'école devrait être plus vigilante. La police a pourtant donné leur signalement au directeur.

— Le directeur! Il n'est pas souvent dans les corridors… Puis on n'a pas encore de preuves, maman.

— Qui ça, on?

— Roxanne, son copain Clovis, Étienne et tous leurs amis. Ils sont devenus mes amis aussi. Roxanne fait circuler les photos des gars de la gang. Mais la super nouvelle, la voici : Papa, tu n'as plus à t'inquiéter.

Il lui tendit, d'un air triomphant, le message de Laliberté.

— IL ARRÊTE TOUT.

Mais l'humeur de son père s'était refroidie. Comme s'il avait oublié qu'il avait obtenu le jour même sa promotion tant convoitée.

«On dirait qu'il n'est jamais content», se dit Thierry.

— Nous t'avions défendu de lui parler! C'était à moi seul de le faire!

— Pourrais-tu me dire merci plutôt que de me faire des reproches?

L'adolescent était exaspéré.

— C'est trop demander? Ça changerait. Je n'ai pas parlé au journaliste, je lui ai écrit. Tiens. Regarde!

Il secoua les feuilles qu'il tenait toujours dans sa main.

Laurence les prit et les lut. Philippe se calma lorsqu'il vit son regard s'illuminer. Les yeux de la jeune femme pétillaient de plaisir.

— Lis toi aussi.

Les traits de son mari se détendirent peu à peu. Ses parents se regardèrent et éclatèrent de rire

— Tu ne lui as pas seulement écrit. Tu l'as vraiment remis à sa place.

Oscillant entre l'agacement et la déception, Thierry n'eut aucune réaction jusqu'à ce que sa mère passe affectueusement ses bras autour de lui.

Tu es brillant, mon chéri.

Elle lui donna un baiser retentissant sur la joue et ajouta :

— J'adore te voir rebondir de la sorte. Nous sommes très fiers de toi.

Ils se retrouvèrent tous les trois sur le divan, installés confortablement. Un sentiment de bien-être les habitait.

Au grand étonnement de Laurence, Thierry, encouragé par le climat de connivence, raconta à son père son aventure à l'école avec Perçant.

Ce dernier fut sur le point de le réprimander pour ce geste téméraire, mais Laurence lui fit signe de se taire. Elle ne voulait surtout pas que se brise ce précieux moment de confidence dans lequel Thierry s'était enfin engagé. Son fils avait encore des choses importantes à dire. Elle le pressentait.

Prenant une profonde respiration, Thierry lâcha :

— J'aimerais ça avoir un nouveau chien-guide. Je me sens prêt.

Des larmes de joie jaillirent spontanément sur les joues de Laurence. Elle serra très fort son fils sur son coeur :

— Thierry ! Je suis tellement contente.

Un petit rire idiot ponctua ces mots. Thierry comprit que sa mère pleurait.

— Tu es un brave garçon, mon fils. Je savais que tu y arriverais.

— Lumino est irremplaçable, même si j'ai un autre chien. Je l'ai compris avec Perçant.

Il fit une pause puis s'adressant à son père il dit :

— Tu ne connaîtrais pas quelqu'un qui adopterait Perçant ? Un endroit où il serait bien, une ferme, par exemple. Il est malheureux d'être toujours attaché. Il a besoin d'exercice.

— Oui, c'est évident. Je vais m'informer. C'est la meilleure chose à faire. Il aura été utile à sa façon.

— Tu es un champion, mon chéri. C'est ça, aimer vraiment les chiens.

Furtivement, Thierry passa le revers de sa main sur ses yeux. Un silence s'installa, empli du souvenir de Lumino.

Philippe ramena la conversation aux inquiétudes de Thierry.

— En ce qui concerne ce qui t'arrive à l'école, je vais appeler la police pour savoir s'il y a des développements concernant la carte d'anniversaire et pour m'assurer qu'on s'occupe du dossier. C'est en prison qu'ils devraient être, ces vauriens.

Philippe haussa le ton :

— À cause d'eux, nous sommes constamment sur le qui-vive !

Tout compte fait, ce fut une belle soirée. Trop rare.

Luc avait beau fouiller les journaux, il ne voyait rien sur l'affaire du docteur Roy. Silence absolu.

— Mais qu'est-ce qu'il attend ? rageait-il. Je vais l'appeler, moi.

Quand il l'eut au bout du fil, Laliberté l'envoya promener sans ménagement. Il ne voulait plus entendre parler de lui, ni de ses fausses rumeurs. Encore moins des frustrations d'un jeune boutonneux qui n'avait même pas le courage de s'identifier.

L'humiliation de se faire ainsi éconduire fit flamber sa rancœur.

Encore une fois, il n'avait fait que donner un coup d'épée dans l'eau.

Pour couronner le tout, il reçut un choc terrible ce matin-là. Avant même de pénétrer dans le hall de la polyvalente, il aperçut, bien en évidence, la fiche signalétique d'Éric, de Momo et de lui-même. Personne ne pouvait la manquer. Une photo floue, truquée, accompagnée d'une ridicule mise en scène. Il jeta un coup d'œil à la ronde, tête basse.

Il remonta le col de son manteau, cala plus profondément sa casquette sur les yeux, tourna les talons et fila vers sa voiture. Relevant à peine la tête, il vit arriver un autobus. Le premier à en descendre fut Thierry.

« Je vais te tuer ! »

À la poly, Thierry goûtait enfin au plaisir de se sentir supporté, de ne plus être *rejet*. Le journal étudiant circulait dans l'école. Les photos avaient fait jaser abondamment. Elles étaient marrantes. Jamais ses compagnons ne lui avaient autant adressé la parole. Lentement, il se détendait, relâchant sa méfiance envers son entourage.

Pourtant ses rêves demeuraient angoissants. Des flashs… Des appels au secours de Lumino qui lui torturaient le cœur. Il lui semblait si vivant… Un accident où il ne restait que ferraille… Des cris… Du sang… Un murmure indéchiffrable…

Il avait toujours été attentif aux messages de ses rêves. Thierry souhaitait qu'ils soient uniquement le rappel de son passé douloureux.

Nouvelle nuit d'insomnie.

La musique qui montait du sous-sol empêchait Benoît Jordan de dormir, contrairement à son fils pour qui le bruit était aussi indispensable que l'air qu'il respirait. C'était le silence qui énervait Luc.

Son père lui avait demandé de baisser le volume, mais il avait plutôt ajouté quelques décibels... Benoît serra les poings et mit des bouchons dans ses oreilles. Il n'avait pas l'énergie pour une nouvelle confrontation.

Il avait du mal à comprendre ce qui se passait avec Luc. Depuis une quinzaine de jours, il avait changé ses habitudes.

« On dirait qu'il va à l'école !

Il avait vu dans ce changement un signe encourageant. Il déchanta vite.

Ses tentatives pour en savoir plus échouèrent lamentablement et donnèrent lieu à de virulentes engueulades.

La nervosité de son fils augmentait sans cesse. Il bougeait sans arrêt, tournait en rond, tapait du pied. Ces signaux alarmaient son père. Il savait que Luc consommait de plus en plus de drogue.

Ce n'était pas un secret. Benoît, lui en avait même déjà procuré. À sa grande honte.

Ce matin-là, planté devant le miroir de la salle de bain, il se parla à lui-même :

— Tu as l'air d'un zombie, mon vieux. Secoue-toi !

Son cellulaire vibra. Il ferma la porte, il y avait trop de bruit dans la maison.

— Oui, allo ?

— …

— Ah, inspecteur François Deschênes… ? Oui, tout est sous contrôle. Pourquoi ces questions ?

Benoît Jordan n'aimait pas entendre la voix de cet inspecteur qui était sur l'affaire Thierry Roy depuis le début. Ça ne présageait rien de bon.

— Je viens de recevoir un appel de M. Philippe Roy. Le père de…

— Oui, de Thierry.

— Il est très inquiet. Il pense…

Pendant un long moment, Benoît écouta. Son visage se décomposa. Tous ses traits se durcirent. Sa main libre serra le rebord du lavabo sur lequel il était appuyé. Il n'y avait plus d'espoir. Benoît Jordan avait un goût de cendre dans la bouche.

Agressé par la musique et préoccupé par les paroles de l'inspecteur, Jordan fut lent à réagir lorsqu'il entendit un bruit suspect.

«Voyons, c'est quoi ça ? Ça vient d'où ?» se demanda-t-il.

Il sursauta :

« Ma chambre ! Qu'est-ce qu'il fait là ? »

— Oui, oui, je vous suis, inspecteur. Désolé. Oui, oui, je l'ai à l'œil. Je dois vous laisser, j'ai un autre appel, dit-il, pressé de raccrocher.

Il entendit des pas précipités près de la salle de bain.

— Vous me téléphonez s'il y a quoi que ce soit. Je compte sur vous. N'importe quand.

Deschênes lui donna son numéro de téléphone.

— Promis. Au revoir.

Benoît ouvrit la porte à la hâte. Il tonna :

— LUC ? Qu'est-ce que tu faisais dans ma chambre ?

Pour toute réponse, il entendit la porte d'entrée se fermer si violemment que la maison en trembla.

Une horrible idée lui traversa l'esprit. Au pas de course, il alla à sa chambre.

Elle était sens dessus dessous. Ce n'était pas la première fois que son fils venait y mettre le bordel. Pourtant, il savait à quel point cela pouvait l'irriter. Benoît avait beau lui interdire d'entrer dans sa chambre, Luc s'en moquait éperdument.

Cette fois, c'était pire.

Son armoire ainsi qu'un petit tiroir, qu'il fermait toujours à clé, avaient été éventrés. Sur le lit, bien en évidence, il y avait un marteau, tels une menace silencieuse, un défi, une provocation… Luc avait arraché les pentures.

Le contenu des meubles jonchait le sol.

Benoit chercha fiévreusement l'arme, ainsi que les munitions qu'il gardait là.

Tout avait disparu.

— LUC!!!!!!

La peur au ventre, l'homme enfila un pantalon en vitesse, sautillant un pied sur l'autre. Il avait l'impression que, pour lui, le temps s'était figé, mais que celui de Luc filait à un rythme fou.

Si un autre drame survenait, il en serait le seul responsable. Il s'était caché la tête dans le sable devant l'agressivité excessive de son fils ces derniers jours.

La raison de ses agissements, auxquels il cherchait une explication, lui avait été révélée par l'inspecteur : Luc avait retrouvé la trace de Thierry Roy.

Désespéré, il courut jusqu'à la porte. D'un geste de la main, il chercha ses clés qu'il déposait sur une petite tablette près de l'entrée.

— LUC, REVIENS! cria-t-il. Il avait la désagréable sensation d'être l'acteur d'un mauvais film.

Par la fenêtre de la porte, il eut juste le temps de voir la direction que prenait l'auto.

— Voyons, où sont mes clés…

Il regarda… Elles avaient disparu… Il avait un deuxième trousseau… mais tout ce temps perdu…

Il se précipita dans sa chambre, ouvrit le tiroir de sa commode. Son cœur battait à un rythme fou.

— Le ciel soit loué, mes clés sont là.

Il sortit sans prendre le temps d'enfiler un manteau. Ses mains tremblaient de façon incontrôlable.

— NON! LUC, NE FAIS PAS ÇA! hurla-t-il, paniqué.

Il prit place dans sa voiture et démarra sur les chapeaux de roues. Il espérait encore le sauver... Luc ou Thierry? se surprit-il à penser. Les deux.

Brusquement, une grande fatigue l'envahit. Il lâcha prise. Il décéléra, ramena sa voiture à la vitesse permise et respira un grand coup.

— Non, je ne peux plus rien. Tu as fait ton choix, mon fils. Mais je ne te laisserai pas commettre un geste irréparable.

La mort dans l'âme, Jordan prit son téléphone cellulaire.

— Inspecteur Deschênes, Benoît Jordan à l'appareil. Je veux porter plainte. Mon fils vient de se sauver de la maison avec une arme à feu. Faites vite. C'est urgent.

Il lui donna les informations nécessaires afin de repérer la voiture dans laquelle son fils avait pris la fuite.

Deschnes saisit immédiatement l'urgence de la situation.

Il composa promptement un numéro de téléphone en bougonnant:

— Enfin son père s'est décidé. Il va écoper lui aussi. Il ment à la police depuis le début. J'en étais certain. Je vais te coincer, Luc Jordan. Cette fois, plus question de protéger le fiston du prof. Le jeune aveugle a assez souffert.

À la hâte, l'inspecteur informa la police locale : identification du véhicule et du dangereux conducteur avec cette consigne :

— S'il prend la direction de la poly, vous l'arrêtez dès qu'il met le pied dans la cour, mais pas avant. À moins que la situation ne se dégrade.

«Bris de probation. Proximité de la victime, songea-t-il. Et un chef d'accusation de plus. Tu vas arrêter de faire peur au monde.»

À nouveau, il reprit le combiné :

— Bonjour, Monsieur le Directeur.

L'inspecteur l'informa de la grave situation. Devant l'appréhension du directeur, monsieur Deschênes le rassura.

— Soyez sans crainte, toutes les précautions seront prises. Personne ne va courir de risque.

🐾 🐾

La cloche était sur le point de sonner. Les étudiants se dirigeaient peu à peu vers leurs classes.

Le jeune aveugle était déjà assis à sa place lorsque des pas précipités se firent entendre.

On annonça dans l'interphone :

«Les étudiants sont priés de se rendre immédiatement dans leur local. Rapidement! Les professeurs doivent s'assurer de la présence de tous leurs élèves. Merci.»

Dans les corridors, le roulement d'une rumeur qui allait en s'amplifiant vint aux oreilles de Thierry. Il entendait des pas de course. Des gens passaient près de lui à la hâte. Inquiété par tout ce tumulte, Thierry demanda :

— Qu'est-ce qui se passe, Étienne ?

— La police vient d'arrêter un des gars de la photo.

L'adolescent se dirigea vers la fenêtre et l'ouvrit doucement. Quelqu'un hurlait au loin.

❧ ❧

Luc se gara dans la rue, un peu en retrait pour éviter l'achalandage provoqué par l'arrivée des autobus scolaires.

Il était d'un calme trompeur lorsqu'il descendit lentement de l'auto. Dans la poche droite de son manteau, il sentait le froid de l'arme. C'était trop facile. Il devait se méfier. Ça sentait le piège.

Il se mit à avoir peur. Peur de ce qui l'entourait :

«J'ai eu raison de prendre une arme, pensa-t-il. Je n'y suis pour rien. Ce sont les autres qui me rendent la vie insupportable. Benoît, toujours à plat ventre devant tout le monde, ma gang qui me laisse tomber, Max qui pourrit en prison. Et son chouchou de Thierry Roy...»

Il avança, les yeux rivés vers l'entrée de l'école.

«Le monde va cesser de se moquer de moi. Je voulais un peu de bon temps, c'est tout.»

Ses mâchoires étaient aussi fortement serrées que l'était sa main sur l'arme. Il regardait droit devant lui, les yeux vitreux, indifférent à ce qui l'entourait, perdu dans ses divagations.

— Personne ne va m'arrêter. Je ne me cache plus. Ce n'est pas vrai qu'il va avoir le dessus, marmonna-t-il.

Il franchit le grillage qui entourait la cour de l'école.

À cet instant, il sentit deux mains le saisir aux épaules.

— Tu ne fais plus un geste.

Surpris, Luc revint à la réalité. Deux policiers l'encadraient.

— Qu'est-ce que vous voulez? cracha-t-il en ponctuant sa question d'un geste arrogant du menton. J'ai rien fait de mal. Je suis des cours ici.

— Tu es en état d'arrestation! Quelqu'un a porté plainte contre toi.

— Vous mentez! VOUS N'AVEZ PAS LE DROIT. J'AI RIEN FAIT, cria-t-il.

Les étudiants retardataires, témoins de cette altercation, s'éloignèrent à la hâte. Il y avait eu tant de drames dans les écoles depuis quelque temps. Ailleurs…

Il y eut bousculade entre Jordan et les agents de la paix. L'un d'eux l'empoigna et ramena ses bras dans son dos. Il le maintint immobile tandis que le deuxième le fouillait de la tête aux pieds. Il ne tarda pas à repérer l'arme.

Luc criait d'une voix hystérique :

— Qui ? QUI a porté plainte contre moi ?

Une voix derrière son dos lui souffla la réponse :

— Ton père, Luc. Il était temps que je le fasse. Tu as posé un geste de trop.

Benoît Jordan, blafard, s'avança et lui fit face.

— TU AS OSÉ DÉNONCER TON PROPRE FILS ? TU AS OSÉ !

Les cris du jeune homme alertèrent tout le monde. Des étudiants curieux apparurent aux fenêtres.

Déchaîné, Luc continuait à gueuler en regardant autour de lui.

— LÂCHEZ-MOI ! TU M'AS TRAHI…

Il aperçut un bref instant le jeune aveugle à une fenêtre.

— THIERRY ? C'EST ÇA, VA TE CACHER. TU M'AS RECONNU, HEIN ? HI ! HI ! LA GÉLULE, LE GARS QUI MÂCHAIT DE LA GOMME, C'ÉTAIT MOI ! MARRANT, NON ? TON PÈRE, C'EST UN IVROGNE, JE VAIS LE DIRE AU MONDE ENTIER ! JE VOULAIS QUE TU SACHES QUE TOUT ÇA VIENT DE MOI ! TU ES PEUT-ÊTRE DÉJÀ AU COURANT, SINON IL FAUT QUE TU APPRENNES QUE TON CHIEN…

Puis il se tut.

Benoît suivit le regard de son fils et vit apparaître Thierry sur le parvis. L'adolescent avait supplié son professeur de le laisser sortir. Ce dernier avait consenti après s'être assuré que la police avait la situation bien en main.

Plusieurs élèves s'étaient agglutinés aux fenêtres des classes. Ils suivaient la scène avec stupeur, retenant leur souffle.

Thierry, la main serrant fermement sa canne, lui fit face. Son cœur battait à lui faire mal. Sa bouche était sèche.

— Il faut que j'apprenne quoi ? QUOI ?

Sa voix tremblait de colère.

— QUOI ? insista-t-il.

Écœuré des paroles que vomissait son fils, Benoît s'interposa.

— Ne l'écoute pas ! Il dit n'importe quoi pour se rendre intéressant et te blesser.

Et sans donner la chance à l'un comme à l'autre de continuer, Benoît Jordan enchaîna, s'adressant au policier :

— Embarquez-le, maintenant !

— Luc, je veux savoir. Dis-le-moi.

Entraîné par les policiers, Luc tourna le visage vers le jeune aveugle et lança :

— Sérieux, ils ne t'ont rien dit ? Tu ne le sauras pas ! Demande la vérité à…

Le reste de sa phrase se perdit dans le claquement d'une portière qui se refermait. Ébranlé par ces insinuations, Thierry resta planté là, désemparé, ne sachant plus quoi penser.

Benoît Jordan s'approcha de lui et le serra dans ses bras.

— Je suis désolé, Thierry. Pardon! Tout est de ma faute.

Encore accroché aux dernières paroles de Luc, le jeune aveugle insista :

— Qu'est-ce qu'il faut que j'apprenne, M. Jordan, vous le savez, vous?

— Ne te tourmente pas. Ce sont des paroles creuses, sans signification. Il n'y a rien à savoir, conclut-il avec sincérité.

Benoît, délaissant le jeune aveugle, rejoignit d'un pas lourd l'auto-patrouille qui démarra aussitôt.

# Chapitre XIV

*Personne pour lui répondre*

Le doute s'était emparé de l'esprit de Thierry. L'horrible vérité qu'il croyait entrevoir le rendait nauséeux.

Personne ne pouvait l'aider, ni même comprendre ses interrogations. Aucun ami pour le rassurer.

Ses parents, en apprenant l'arrestation d'un membre du groupe, laissèrent échapper un soupir de soulagement. Pour eux, c'était une victoire de plus.

Cette fois Philippe Roy n'eut aucune pensée de compassion pour Benoît Jordan.

— Il aurait dû en parler plus tôt. Il nous aurait évité des maux de tête. Il mérite la prison.

— Philippe, ne sois pas si dur. Il s'agit de son fils. Qu'est-ce que tu aurais fait à sa place?

— Je t'en prie, ne me compare pas à lui.

Thierry n'avait manifesté aucune joie. Au contraire, il semblait fiévreux. Le soir, il avait raconté à ses parents dans les moindres détails l'échange qu'il avait eu avec Luc. Il les supplia de répondre à ses interrogations, mais n'obtint aucune réponse.

— Vous le savez, vous, ce qu'il voulait dire?

À qui dois-je demander la vérité, papa? Ça concerne Lumino…

— Thierry, c'est un malade, ce gars-là. Arrête de te tourmenter avec ça. Tu sais tout, mon chéri! Je te le jure! N'est-ce pas, Philippe?

Même la sincérité de la voix de sa mère ne parvenait pas à l'apaiser.

— Ta mère l'a dit, c'est un malade. Ah! Une bonne nouvelle! J'ai trouvé quelqu'un qui accepte de prendre Perçant. C'est un éleveur de dobermans. Ce sera parfait.

Thierry revint à la charge:

— S'il te plaît, papa, ne change pas de sujet. Te rappelles-tu que M. Laliberté a dit quelque chose à propos de Lumino lorsqu'il est venu à la maison? Je veux savoir ce qu'il a dit.

— C'est vrai, Philippe? Tu ne m'en as rien dit.

— Il n'y a rien à dire. Nous avons assez souffert tous les trois sans nous torturer l'esprit avec des balivernes de journaliste qui invente des mensonges pour se venger!

— C'est juste, Thierry! C'est de la méchanceté. Alors Philippe, raconte-nous comment tu as déniché cet éleveur…

Les jours qui suivirent furent marqués par le départ de Perçant. Thierry lui donna une caresse et un dernier biscuit.

— Un nouveau déménagement… Je te souhaite

une bonne vie. Tu le mérites ! Rien de tout cela n'est de ta faute.

Jamais il n'aurait cru qu'un jour il parviendrait à dire ces mots à Perçant.

Thierry éprouva une tristesse sincère, mais aussi un réel soulagement. Il était libéré d'une responsabilité qu'il ne pouvait pas assumer de façon satisfaisante ni pour lui ni pour le chien.

Il apprit avec joie la nouvelle des démarches entreprises par ses parents pour l'acquisition d'un nouveau chien-guide. Son père lui avait dit, l'air mystérieux, qu'il lui préparait une grosse surprise.

L'adolescent refoula ses doutes loin dans son esprit sans réussir à les faire taire. Une question persistait : «À qui demander la vérité ?» Jamais ses parents ne lui auraient menti. Qui, alors, savait toute la vérité ? Un nom s'imposa à lui : Max !

Cette intuition le troubla.

Une vérité venant de cet homme ne servirait qu'à le blesser. De toute façon, il était en prison. Le jeune aveugle en vint à la même conclusion que son père : tout ceci n'était que méchanceté.

*Thierry était seul, assis sur un divan. La pièce exigüe et nue dans laquelle il se trouvait lui était inconnue. Elle possédait deux portes, une face à lui, une autre sur la gauche. Quelqu'un frappait à coups furieux à la porte lui faisant face et criait : laisse-moi entrer. Ouvre !*

*La porte résista.*

*Il ne reconnaissait pas la voix. La peur au ventre, Thierry pensa à la porte de gauche qui, elle, n'était pas verrouillée.*

*Un court silence, puis la poignée tourna lentement. La porte s'entrouvrit. Thierry s'élança pour s'y appuyer afin d'empêcher l'inconnu de pénétrer.*

*Il vit les longs doigts d'une main gantée de noir se replier sur la porte et pousser afin de le faire céder.*

*Thierry s'arcbouta, mais la porte s'ouvrait, centimètre par centimètre. Sentant ses forces l'abandonner, Thierry céda aux derniers assauts. La porte s'ouvrit toute grande pour laisser apparaître un homme tout de noir vêtu dont il ne distinguait que les yeux incandescents qui lui vrillèrent l'esprit. Il entendit une voix inconnue :*

*"Te voilà !"*

Puis tout s'évapora.

Thierry se réveilla, enveloppé du malaise de ce rêve incompréhensible. Ces constantes interrogations l'épuisaient. Il les chassa, parvint à faire le vide et se rendormit.

L'arrestation de Luc avait provoqué un véritable remous au sein de l'école et soulevé une vague de sympathie envers Thierry.

Roxanne et Étienne faisaient tout pour l'aider à retrouver son entrain. En effet sa bonne humeur, si longue à s'installer, avait décliné d'un coup depuis son échange avec Luc Jordan.

Ses amis s'étaient attendus à une tout autre réaction. Personne ne comprenait ce revirement. Thierry était morose.

L'adolescent avait la certitude que quelque chose lui échappait malgré tout ce que son entourage faisait pour le rassurer.

❧ ❧

— Non, je ne veux pas aller chez Blouin pour la fin de semaine.

— Thierry, je te le répète : tu viens avec nous au colloque ou tu vas chez Lucien Blouin. Un point c'est tout.

— Maman, tu le sais, je déteste les colloques, c'est ennuyant, mais ce n'est pas mieux chez Blouin. Il n'arrête pas de parler. Une vraie machine à paroles. Trouve quelqu'un d'autre.

Laurence soupira :

— Tu as entendu ce que j'ai dit ? Personne n'est disponible. J'ai fait au moins quinze appels, tout le monde est occupé ! Tu en as même parlé à Roxanne et Clovis qui t'ont déjà tenu compagnie pendant une de nos absences. Ils ont un empêchement eux aussi.

— Je sais. Une cousine de Roxanne qui se marie. Mais...

Voyant où son fils voulait en venir, elle l'interrompit.

— Et il n'est absolument pas question que tu restes seul. Compris? Choisis : le colloque ou M. Blouin.

— Je ne pourrai pas faire un pas sans qu'il soit sur mon dos. Deux jours à l'écouter parler de ses bobos. Ça va être trippant!

— Ne fais pas cette tête-là. M. Blouin se fait une joie de ta visite. Il m'a dit que c'était un honneur pour lui de t'accueillir. Je vais apporter chez lui des vêtements pour que tu puisses te changer, et pour tes repas, des plats tout préparés. Je lui ai tout expliqué. Vendredi, après l'école, tu files directement chez lui.

— Puis il va tout te raconter si jamais j'ai deux secondes de retard.

Laurence éclata de rire.

— Pauvre enfant martyr! C'est pour deux jours à peine. De vendredi à samedi, dans la nuit. D'accord, il y a une troisième solution : je laisse ton père y aller seul.

— Hum! OK! Je vais chez Blouin.

Thierry savait l'importance que ces rencontres avaient pour ses parents.

— Oui, je suis un enfant martyr, conclut-il, à la blague.

Le vendredi matin, jour de leur départ, Philippe partit pour l'hôpital plus tôt que son épouse. Il lui laissa le soin de s'occuper de son fils à qui il avait dit au revoir à la hâte.

Laurence donna à Thierry des consignes claires qui, dans la tête de ce dernier, étaient inutiles.

Assis sur le bord de son lit, l'adolescent hochait la tête à chacune de ses recommandations, exaspéré.

Des trucs de mère inquiète : Bien fermer la porte à clé, être prudent en traversant la rue, l'appeler s'il y avait urgence, ne pas rester seul à la maison, bien manger, être poli, etc., etc. Elle n'en finissait plus.

— Mamannn? Je n'ai plus 8 ans.

— Je sais.

Laurence réfléchit.

— Bon, je pense que je n'ai rien oublié. C'est la première fois que nous partons aussi longtemps depuis…

Elle se tut. Elle regarda son fils et vint s'assoir près de lui en laissant échapper un soupir.

— Je crois que je n'ai plus le goût d'y aller. Je n'aime pas ça te laisser seul.

— Maman, ça va aller.

Par taquinerie, il ajouta :

— Un peu de prison, ça ne me fera pas mourir.

— Tu veux que je me sente encore plus coupable, se lamenta-t-elle.

— Mais non, c'est une farce!

— Tu me jures d'être très prudent?

— Maman, ne recommence pas.

Laurence le serra dans ses bras. Il répondit à son étreinte affectueuse.

Pourtant, afin de ne pas s'inquiéter mutuellement, la mère et le fils passèrent sous silence un mauvais pressentiment.

# Chapitre XV

*La vengeance de Max*

Le vendredi suivant, il n'avait pas le moral. Tout le monde avait quelque chose d'intéressant à faire, sauf Thierry Roy, décréta-t-il. Clovis et Roxanne étaient au mariage d'une cousine et Étienne s'était qualifié pour une compétition de gymnastique à l'extérieur de la ville.

Ses amis avaient sympathisé avec lui : il allait être obligé d'endurer l'insupportable Lucien Blouin toute la fin de semaine.

Avant de descendre de l'autobus, il prit son courage à deux mains. Il rigola intérieurement en se disant qu'ils s'étaient gentiment moqués de lui.

«Ce ne sera pas si terrible. Ils me niaisent.»

Thierry hésita quelques secondes, puis, malgré la consigne maternelle, décida de rentrer chez lui.

— Deux minutes seulement. J'ai trop faim. Je me fais un sandwich, puis j'y vais.

Dès qu'il mit le pied dans la maison, la sonnerie du téléphone retentit.

En maugréant, l'adolescent déposa son sac et se dirigea vers l'appareil.

— Oui ! Allo ? s'impatienta Thierry.

— C'est Lucien. Ça va ? Pourquoi tu ne viens pas chez moi ? Ta mère m'a dit que tu viendrais directement ici après l'école.

— Ah, hum… Oui, je sais. Je serai chez vous dans dix minutes. Je voudrais prendre mes courriels. Je peux ?

— Quoi ? Ah, les patentes informatiques… OK… Dix minutes, pas plus.

— Merci.

— Je t'attends.

— Je t'attends, répéta Thierry en déposant le sans-fil sur la table. Quel casse-pied. Bon, est-ce que je vais pouvoir me rendre à ma chambre ?

Le jeune aveugle fit un détour par la cuisine, trouva dans le frigo quelque chose à se mettre sous la dent et repartit vers sa chambre.

Nouvelle sonnerie.

Thierry poussa un profond soupir.

— Qu'est-ce qu'il veut encore ?

Il fit demi-tour et revint sur ses pas.

— Oui, c'est quoi ?

— …

— Allo ? Insista l'adolescent. C'est vous, M. Blouin ?

— Salut, Thierry.

C'était une voix inconnue, une voix jeune.

Poussé par un mauvais pressentiment, Thierry raccrocha, mais il se le reprocha aussitôt.

— Tu es con! Il ne t'aurait pas mangé... Beurk, je n'aimais pas le son de sa voix.

Décidé à oublier rapidement cet incident, Thierry se hâta vers sa chambre, prit place devant son écran et...

La sonnerie retentit à nouveau. Insistante.

Cette fois, une désagréable impression de danger s'installa dans son esprit. Dans le silence de la maison, le bruit parut assourdissant, envahissant tout l'espace.

Cette sonnerie ne présageait rien de bon.

— Si c'est M. Blouin, je ne le trouve pas drôle.

Il se leva, sortit lentement de sa chambre. Plus il s'approchait de l'appareil, plus le bruit l'indisposait.

Dringgggg! Dringggg!

— Allo?

— Salut, Thierry! Pourquoi tu as raccroché?

— Qui parle?

— Leclerc.

— ...

— Nous avons un ami commun.

— Hein? Qui ça?

— Maxime Thériault.

— Ma....

Le jeune aveugle coupa la communication, alarmé. Sa main était encore sur l'appareil quand de nouveau la sonnerie retentit. Il sursauta.

«Leclerc?...Leclerc! Mathieu Leclerc? Je suis écœuré! C'est un fou, celui qui essaie de me faire accroire ça.»

Malgré son appréhension, Thierry empoigna résolument le téléphone, déterminé à faire cesser cette mascarade sordide.

Avant qu'il n'ait eu le temps de placer un mot, il entendit :

— Oui, c'est ça, Mathieu Leclerc!

— FOUTEZ-MOI LA PAIX. VOUS MENTEZ. IL EST MORT! C'est vous qui avez écrit un texte porno sur un blogue?

— T'as deviné! Ouuuuuh! C'est drôle, hein? J'ai bien rigolé en l'écrivant! Dommage, je l'ai déjà fait disparaître. Je me suis dit que ces choses-là, c'est entre toi, Max et moi. Tu as aimé ta carte de fête? Max en sait des choses sur toi.

Thierry entendit ricaner au bout du fil. Puis le silence se fit. De courte durée.

— Tu veux la vérité? Pour Lumino? Alors, ne raccroche pas, ordonna-t-il d'un ton tranchant.

La tentation était trop forte. Thierry attendit, affolé.

— Tu es toujours là?

— Hum,...

— Bon, je savais que ça t'intéresserait... Étant donné que Luc est pourri pour s'occuper des vraies affaires, qu'il n'est capable que de petites drôleries, comme il les appelle, c'est moi qui aurai l'honneur de te dire ce qui s'est passé... Tu te rappelles le caveau?

Tout refit surface. La main de glace, qui ne s'était pas manifestée depuis longtemps, le saisit au dos et l'enveloppa tout entier.

Il se sentit aussi vulnérable qu'au moment de son enlèvement. Il était seul dans la maison, dans cette noirceur qui était sa réalité, à écouter la voix d'un fou s'apprêtant à débiter des horreurs au creux de son oreille, agressé à nouveau.

— Certain que tu te rappelles! Mais pas de tout. Tu en as trop fait. Le jeu est allé trop loin. Pauvre Max! Tu sais bien qu'il ne t'aurait pas tué! Il me l'a dit. Ton chien, non plus, il ne l'aurait pas tué. Il t'aime! C'est pour cette raison qu'il tient tellement à ce que tu saches la vérité.

Le jeune aveugle était fasciné par ces paroles démentes. Ça tournait au délire. Entraîné par la tourmente de son esprit, il se mit à douter de son équilibre mental...

«Mathieu Leclerc? Non!»

Ces mots tournaient en boucle dans sa tête. Tout tanguait autour de lui.

La voix continuait à l'hypnotiser, feignant la compassion.

— Tu as perdu les pédales. C'est pour ça que tu n'as pas compris ce qui s'est passé quand tu es sorti du caveau. Normal! Les policiers, Lumino, ton père... Ton père, lui, a compris. Max aussi a compris.

C'était horrible, ce qu'il insinuait! Mais toute cette conversation n'était-elle pas... irréelle?

— Tu te souviens... Tiens, c'est trop drôle. Ça me tente de jouer aux devinettes pour faire durer le plaisir.

L'inconnu prenait un plaisir sordide à prolonger l'attente, se sachant maître de la situation.

— On joue?

Prêt à tout pour faire cesser ce cauchemar, Thierry acquiesça faiblement.

— Pose une question.

Horrifié, l'adolescent s'entendit demander d'une voix mal assurée:

— Lumino... n'était pas mort? C'est ça que vous voulez me dire? C'EST ÇA, HEIN?

Le jeune aveugle avait crié cette dernière phrase.

— Tu es rapide... Tu as tout compris! Non, il n'était pas mort!

Les jambes de Thierry cédèrent, il glissa par terre. Comme dans un mauvais rêve, les mots continuaient à se déverser sur lui.

— Ton père l'a vu, lui. Il aurait pu tenter quelque chose? Mais oui! Tu lui demanderas ce que signifie «mort apparente». C'est un médecin, il va te l'expliquer. Max n'a pas tué Lumino! C'est Philippe Roy qui a ordonné aux agents de l'abattre! De l'achever!

Un spasme atroce noua l'estomac du jeune aveugle.

— Tout est faux! Et... et... vous n'êtes pas

Mathieu Leclerc! C'EST FAUX!

— Ça va, je ne suis pas Mathieu Leclerc

L'inconnu poursuivit, d'une voix moqueuse :

— Comme ça, j'étais certain d'avoir ton attention. Je devais un petit service à Max, et ça dans le «milieu», c'est sacré. Puis où était le risque? Tout ce qu'il veut, c'est que tu saches la vérité.

— TOUT LE RESTE EST FAUX! Je vous défends de dire des monstruosités sur mon père! Jamais il n'aurait fait ça!

— Libre à toi de me croire, mon petit. Je ne suis que le messager. Max m'avait prévenu. Il est le seul à avoir vu les signes que ton père a faits aux policiers. Il a vu ses yeux lorsqu'il a découvert Lumino. Tout ce que Max demande… c'est que tu poses les bonnes questions à Philippe Roy pour connaître «toute» la vérité.

L'adolescent reprit ses esprits. Il se leva et affirma avec assurance :

— Vous mentez.

Puis il raccrocha.

Comme un automate, il marcha dans la maison, sans but, déconnecté de la réalité. Il s'installa dans ses souvenirs et s'efforça de revoir les détails de sa captivité, étape par étape, cherchant un indice pouvant faire taire les incertitudes qui montaient en lui.

Son père l'avait obligé à se remettre debout après avoir touché Lumino pour une dernière fois… Après, il ne se souvenait plus…

— Lumino était encore vivant à ce moment-là. Peut-être…

Cette pensée le rendait malade. Il l'éloignait aussitôt qu'elle effleurait son esprit. Elle était trop douloureuse et le bouleversait jusqu'au plus profond de lui.

— Non. Non.

Il reprenait du début, encore et encore. Inutilement.

L'adolescent avait le visage inondé de larmes.

Il était incapable de se rappeler ce qui s'était passé après cet événement. Sa douleur, en constatant la mort de son chien avait tout emporté.

🐾 🐾

Après le déni, la révolte s'installa en lui. Il voulait savoir.

Maintenant.

Sa mère lui avait dit qu'il pouvait l'appeler en cas d'urgence. Il l'appela.

— Oui, bonjour.

— …

— Chéri? Pourquoi m'appelles-tu? J'ai oublié quelque chose?

— Eh…

— Qu'est-ce qu'il y a?

— C'est Thierry? s'informa Philippe sans détourner son regard de la route.

Laurence secoua la tête dans sa direction.

— Hum, hum.

— Maman, c'est quoi une « mort apparente » ?

— Une... mort apparente ! THIERRY, QU'EST-CE QUI SE PASSE ? OÙ EST M. BLOUIN ?

Le cœur de Laurence se serra. L'inquiétude lui donna une douloureuse crampe au ventre. Elle regrettait d'être loin de lui.

Sans répondre à sa question, l'adolescent continua.

— Tu le sais, maman, ce qui est vraiment arrivé à Lumino ?

Désorientée par ces questions, Laurence fixait droit devant elle, sans rien voir. Son attention était entièrement tournée vers son fils.

— Thierry, est-ce que tu es souffrant ? Ta voix est toute drôle. Il est arrivé un accident ? Je ne comprends pas ce que tu me demandes.

Thierry dissimula difficilement la colère sourde qui l'habitait.

— Tu es au courant que papa avait donné l'ordre d'achever Lumino ?

— NON ! D'où sors-tu cette absurdité ? Jamais ! Il n'aurait jamais fait cela. Philippe, rassure ton fils ! implora-t-elle, prise de panique.

Laurence se tourna vers lui. Ce qu'elle lut dans son regard la remplit d'horreur.

— Philippe !

— Laurence, s'il te plait, calme-toi et passe-moi le cellulaire.

Sans prendre le temps de mettre l'oreillette, Philippe s'empara de l'appareil.

— Mon fils, ce n'est ni le moment, ni l'endroit pour parler de ces choses.

Son père lui parlait d'une voix triste, mais Thierry s'en moquait.

— Ce n'est jamais le temps! Tu nous as trahis. Pour une fois dans ta vie, dis-moi toute la vérité. Tu l'as fait, hein? OUI OU NON? DIS-LE!

— Thierry, ce n'est pas aussi simple que ça!

La vérité apparut, monstrueuse à l'esprit de l'adolescent.

— Tu ne nies pas? Alors... C'EST VRAI! JE NE TE PARDONNERAI JAMAIS! hurla Thierry. Tu m'avais dit que tu ne me cacherais plus rien! J'ai été niaiseux de penser que tu avais changé! Tu exiges que je ne te cache rien de ce qui se passe dans ma vie, mais toi tu le peux!

Il parlait d'une voix saccadée. Il étouffait.

— J'ai cru... que tu pouvais sauver mon chien... J'aurais tout donné pour qu'il vive... Tout! Tu n'as même pas essayé. Deux infirmes dans ta vie, ça aurait été trop?

— Arrête, tu dis n'importe quoi.

— Je ne te reparlerai plus de toute ma vie. Je te déteste.

— Thierry ne dis pas ça, je t'en supplie. Qui t'a raconté...

Thierry ne lui laissa pas finir sa phrase. Il ne voulait pas entendre les excuses de son père, ni les doléances de sa mère. Il coupa la communication puis ferma son cellulaire.

Le jeune aveugle fut incapable de réprimer un haut-le-cœur. La même sensation nauséeuse, éprouvée lors de l'entretien avec Luc.

— Lumino était encore vivant et il n'a rien fait pour le sauver.

Il manquait d'air, étouffé par le ressentiment qu'il éprouvait envers son père. Il parlait à voix haute :

— Toute sa vie, il m'a menti. Pourquoi n'a-t-il rien tenté ?

Jamais il n'avait imaginé que la vengeance de Max serait aussi terrible. Il était parvenu à lui faire détester son père.

Sans plus réfléchir, il sortit.

Lucien Blouin était rivé à sa fenêtre, ses lunettes d'approche en main. Il résista à son envie d'appeler à nouveau chez Thierry. Il voulait que tout se passe bien avec le jeune.

Sur la table, il avait déposé du jus. Il avait préparé le lit dans la chambre d'invité, le repas mijotait doucement dans la cuisine. Tout était prêt, il ne manquait que Thierry.

— Mais qu'est-ce qu'il fait ?

Il reporta ses jumelles à ses yeux.

— Arrête de tourner en rond. Viens-t-en !

Le vieil homme regarda plus attentivement. Quelque chose d'étrange se passait.

— Bon ! Enfin, il sort.

Incrédule, il le vit avancer sans sa canne, courbé, les bras entourant son ventre. Comme un homme ivre.

— Seigneur ! Qu'est-ce qu'il fait ? Mais il… il vomit !

Lucien Blouin se leva précipitamment. Sans prendre le temps de se vêtir, le vieil homme sortit de la maison en gesticulant. Dans l'énervement, il ne se rendit même pas compte que ses jambes le faisaient souffrir. Malgré sa volonté de faire vite, le vieil homme avançait péniblement. Il aperçut l'adolescent se relever puis continuer à avancer.

— THIERRY ! cria-t-il, ne bouge plus. Attends-moi, j'arrive. NE BOUGE PLUS !

Puis se parlant à lui-même :

« Voyons ! Qu'est-ce qui lui prend ? Il perd la boule. »

L'ordre que Lucien avait donné fut entendu. L'adolescent lui obéit. Le vieil homme en aurait pleuré de soulagement.

Les voisins, alertés, étaient sortis et assistaient à scène sans comprendre le drame qui se déroulait devant eux.

Les cris de Blouin avaient tiré Thierry de la transe dans laquelle il était plongé. Le jeune aveugle s'arrêta au bord de la route…

Lucien Blouin traversa puis, effrayé, il encercla les épaules de Thierry et le tira brusquement vers l'arrière.

— Qu'est-ce qui te prend? T'es malade?

L'adolescent n'offrit aucune résistance, mais ne répondit rien.

Voyant l'état de Thierry, le vieil homme comprit que quelque chose de grave s'était produit.

— Viens, Thierry, prends mon bras. Nous allons chez moi.

Le jeune aveugle le suivit sans un mot, semblable à un somnambule.

Assis à la table de la cuisine, Lucien Blouin scrutait le visage fermé du jeune ado. Ce dernier refusait toute nourriture et restait assis près de lui sans bouger.

Ignorant comment s'y prendre, le vieil homme cherchait les mots pour le faire parler sans le brusquer.

— Tu as vomi?

Thierry haussa les épaules.

— T'es malade?

Cette fois-ci, ses questions n'étaient pas motivées par la curiosité.

Thierry n'eut aucune réaction. L'inquiétude de M. Blouin augmenta.

— Je suis peut-être un vieux fou, mais je sais quand quelqu'un souffre.

— NON! Je vais très bien, mentit Thierry. J'ai mangé un peu trop vite, c'est tout.

— Je vais appeler ton père.

— Je ne veux plus lui parler. Plus jamais.

Thierry se leva.

— Ne dis pas ça! Je suis sûr que tu ne penses pas ce que tu dis!

«Qu'est-ce qu'il en sait, lui!» pensa Thierry.

— Je peux aller me coucher?

— Déjà?

Thierry hocha la tête.

Aussitôt que Thierry fut au lit, Lucien appela Philippe Roy.

Le téléphone n'émit aucune tonalité…

# Chapitre XVI

*La vérité qui tue*

On frappait à la porte avec insistance. Thierry ignorait si c'était un rêve ou la réalité. Il entendait des voix qu'il ne reconnaissait pas. Il ne se rappelait plus où il se trouvait, quelque part dans les limbes, entre le sommeil et le réveil.

Des hommes pénétraient dans cette chambre qui n'était pas la sienne. Il entendait leurs voix comme si elles venaient de très loin. Ils marchaient au ralenti et disaient des mots incompréhensibles en se penchant sur lui. L'un d'entre eux lui secoua l'épaule très doucement.

— Thierry! Thierry, réveille-toi.

C'était Lucien Blouin. Il reprit connaissance.

Aussitôt ses esprits retrouvés, un autre homme s'adressa à lui. C'était un agent de police…

— Thierry Roy?

Une terrible peur lui noua les entrailles.

— Oui.

— Vos parents sont bien Philippe et Laurence Roy?

— Qu'est-ce qui se passe? demanda-t-il complètement réveillé.

Il entendit une petite toux.

— Hum… Ils ont eu un grave accident…

Il ne comprit rien aux mots qui suivirent. Ces policiers se trompaient sûrement… L'adolescent leur en voulut même : ils l'avaient réveillé pour une grossière erreur ! Ce n'était pas possible… Il voulait dormir. Pourquoi est-ce qu'on lui débitait tous ces mensonges ? Pourquoi est-ce qu'on le tourmentait avec ces faussetés ?

Leurs phrases se perdaient dans sa tête. Il ne saisissait que quelques mots : vitesse, cellulaire, collision, carambolage. Mort.

— Thierry Roy, est-ce que tu comprends ce que je viens de te dire ? Tes parents ont eu un grave accident. Ta mère est blessée, mais on ne craint pas pour sa vie… Elle a eu plus de chance que ton père…

— Vous vous trompez…

— Non, Thierry. Ton père, Philippe Roy, est décédé.

Thierry se sentit comme happé par un trou noir.

🐾 🐾

Thierry passa les jours suivants à tenter d'occulter cette nouvelle.

Lucien Blouin obtint la permission de le garder chez lui en attendant la suite des choses. Le vieil homme était tout remué. Il lui avait porté secours et cela représentait beaucoup pour lui.

Thierry avait dit des mots très durs à son père. Il s'était laissé dominer par sa colère. Philippe avait raison quand il disait que ce n'était ni le moment ni l'heure pour discuter de la mort de Lumino, mais il ne l'avait pas écouté.

Au contraire...

Lucien Blouin l'avait compris : il ne pensait pas les paroles qu'il avait dites à son père. Mais il était cruellement puni.

Il avait l'impression que son cœur allait éclater tant il se sentait coupable. Il était responsable de cette catastrophe... Il aurait voulu revenir en arrière, mais le temps s'était figé.

🐾 🐾

Laurence demanda à voir son fils dès qu'elle reprit connaissance à l'hôpital. Lorsque Thierry entra dans sa chambre, elle fut chavirée. Son fils semblait ravagé par la douleur. Il resta près de la porte.

Sa mère comprenait l'enfer qu'il vivait.

— Thierry, viens près de moi. Ce n'est pas de ta faute !

Elle fit une pause puis reprit :

— Ton père n'y est pour rien non plus ! Avant que l'accident n'arrive, j'étais furieuse contre lui. J'ai crié, je lui ai demandé de s'expliquer. Je lui ai dit des choses que je regrette maintenant. Nous étions énervés tous les deux. Tu sais comment ton père est... était prompt à réagir...

Une bulle de solitude isolait la mère et le fils. Ce dernier s'approcha d'elle.

Laurence ravala l'émotion qui la prenait à la gorge.

— Maman... Ça va?

— Oui, mon chéri. Ne t'inquiète pas.

— Maman, dis-moi que je fais un cauchemar? Papa est parti... C'est vrai?

— Oui, souffla sa mère.

— J'ai tellement de peine. Ça me fait mal...

Il cherchait ses mots :

— Un inconnu m'a appelé... j'ai perdu la tête. Pourquoi papa n'a rien tenté pour sauver Lumino?

— Philippe m'a dit qu'il avait agi pour le mieux. Lumino aurait souffert atrocement. Une mort apparente signifie que des organes vitaux sont sérieusement atteints.

— Pourquoi... pourquoi ne pas me l'avoir dit, hein?

Sa mère n'avait pas de réponse à cette question.

— Thierry, ton père a fait demi-tour avant même que je ne le lui demande. Crois-moi : il était bouleversé. Il voulait te parler, rien d'autre ne comptait. Je lui ai fait une scène. Terrible.

Le débit de Laurence était laborieux. Elle aurait souhaité être emportée avec Philippe... mais en même temps elle remerciait le ciel d'être là avec son fils.

Les yeux de l'adolescent restaient secs, brûlants. Il avoua :

— Je l'ai détesté, maman, à ce moment-là, tellement et... c'est avec ces mots de haine qu'il est parti... Je regrette.

— Il a tenté de te rappeler... en vain... Il était préoccupé.

La respiration de la jeune femme s'accéléra.

— Il n'a pas vu l'arrêt..., gémit-elle.

La violence de l'impact résonna si fort dans la tête de Laurence que Thierry le ressentit douloureusement en entendant la plainte de sa mère.

Il se rapprocha d'elle, chercha du bout des doigts son visage et, très doucement, il l'embrassa en lui prenant la main.

Il resta prostré sur le bord de son lit, silencieux.

❦ ❦

Le silence régnait lorsque Thierry entra dans l'église. Bien sûr les oncles, les tantes étaient venus. Ils étaient tous là, mais si loin de sa réalité. Des gens de bonne volonté, mais dont la présence ne lui apportait aucun réconfort.

Laurence était clouée sur son lit d'hôpital. Elle avait refusé toute médication contre la douleur, car elle voulait conserver sa lucidité pour soutenir son fils, sachant les durs moments qu'il devait vivre.

Pour le jeune aveugle, avancer dans l'allée lui parut une épreuve infranchissable. Il avait l'impression de marcher hors de son corps, avançant sans comprendre ce qu'il vivait. Il ne savait même plus qui lui tenait le bras.

Il percevait le bruissement des vêtements, les toussotements, les chuchotements, mais à part ces bruits... il avait l'impression d'être seul au milieu d'étrangers venus pour... voir.

Puis il entendit des mots de réconfort.

Des mots qui résonnèrent dans l'église, rompant le silence.

— Salut, Thierry, nous sommes là, Clovis et moi.

C'était la voix de Roxanne.

— On ne te lâchera pas, mon vieux, dit Étienne.

— Ouais! Moi, non plus.

Thierry reconnut la voix d'Olivier.

Les voix des copines de Roxanne s'élevèrent à l'unisson.

— T'es pas tout seul!

C'était sa gang à lui! Solidaire. Ses amis avaient reçu la permission de s'exprimer dans ce lieu de prières et de recueillements.

Leurs voix le portèrent jusqu'à l'avant de l'église.

Thierry Roy était profondément ému.

Au fond de l'église, parmi les curieux, le journaliste Serge Laliberté assistait discrètement à l'évènement.

Il sortit son carnet, fit un grand trait sur ses notes et quitta l'église. Thierry avait gagné son estime.

❧ ❧

L'année scolaire tirait à sa fin. La soirée-reconnaissance qui avait été organisée à la polyvalente regroupait les élèves de tous les niveaux. L'auditorium était comble.

On attendait le coup d'envoi du bal des finissants après les discours.

Sur l'estrade, le directeur de l'école saluait l'assemblée.

— Il est enfin arrivé ce jour que tout le monde attend avec impatience. Quelques-uns parmi vous l'espèrent depuis septembre! Tant d'efforts ont été fournis. Et pour certains, l'année fut très éprouvante.

Ce soir, vous êtes tous magnifiques dans vos tenues de gala.

Un frisson de satisfaction parcourut cette jeune assistance pressée d'aller festoyer. Vrai, ils étaient tous plus beaux les uns que les autres.

— Sans plus tarder, nous allons récompenser ceux qui se sont distingués cette année dans leur sphère d'activité.

Le directeur remit les mentions d'excellence aux lauréats, des finissants de cinquième secondaire.

Alors que tous croyaient que le palmarès était terminé et qu'on n'attendait plus que de passer à la salle de danse, le directeur prit à nouveau la parole :

— Je sais que vous êtes impatients de fêter, mais j'aimerais remettre un prix spécial. Très spécial. Ce n'est pas coutume à notre école, mais je n'ai pas pu résister quand on m'a suggéré de faire une exception.

Lors de notre première rencontre, la personne responsable de cette proposition m'a demandé ma collaboration et mon silence. Je l'ai assurée de mon appui, séduit par l'originalité de sa demande.

Il y a plus de trois mois, cette même personne m'a remis une lettre, que je vais vous lire dans quelques instants.

Depuis plusieurs évènements se sont succédé et j'ai failli abandonner l'idée, croyant la chose trop délicate. Mais une autre personne est intervenue, me suppliant de poursuivre le projet. Et c'est avec joie que j'ai accepté.

J'aimerais demander à Étienne de bien vouloir accompagner Thierry Roy sur l'estrade.

Un grand silence suivit cette requête.

Thierry, nullement préparé à cette invitation, crut un court instant que son ouïe lui avait joué un mauvais tour. Laurence Roy se pencha à son oreille et lui dit d'une voix remplie de tendresse :

— Thierry ! Vas-y !

Étienne, qui se trouvait juste derrière lui, fut à ses côtés en quelques secondes.

— Viens, prends mon bras.

Le silence persistait. Dans l'assistance, Roxanne, assise près de Clovis, vit Thierry et Étienne s'avancer.

Dès que les deux adolescents parvinrent aux côtés du directeur, ce dernier se racla la gorge, puis il proclama :

— La direction tient à remettre à Thierry Roy un certificat pour sa contribution inestimable à la chaîne d'entraide qui a vu le jour dans notre école. Pour ton constant dépassement et pour le courage que tu as démontré tous les jours, Merci, Thierry. J'aimerais que vous applaudissiez, Thierry Roy.

L'adolescent sentit ses joues s'empourprer.

— Il y a aussi autre chose.

À ce moment, quelqu'un s'avança, tenant en laisse un très jeune bouvier bernois. Ce dernier, excité par tout ce qui l'entourait, voulut s'élancer, mais la laisse l'en empêcha et le fit choir sur le carrelage.

Dans sa précipitation pour se relever, le chiot glissa sur le plancher et s'étendit à plat ventre, ce qui souleva des éclats de rire de l'assistance. Il se releva pour déraper à nouveau.

Le jeune aveugle avait compris ce qui se passait. Il désirait ce chiot de tout son cœur. Il avait reconnu le halètement, les griffes sur le sol, le comportement caractéristique d'un jeune chien.

Thierry se tourna dans sa direction, se pencha et ouvrit les bras, spontanément.

L'homme conduisit le chiot jusqu'à lui.

— Thierry, à l'initiative de ton père qui a tout planifié, nous t'avons préparé une belle surprise. Avec la complicité de tes parents, nous voulons te remettre un nouveau chien-guide, un merveilleux petit bouvier bernois. Bien sûr, tu connais les étapes qu'il devra franchir avant de remplir les tâches que tu attends de lui.

Thierry accueillit cette petite boule de vie et la prit dans ses bras.

Il ne prêta pas attention au froissement d'un papier qu'on dépliait. Le directeur commença la lecture :

À *Thierry, mon fils.*

La voix de Philippe résonna dans la tête de Thierry.

*Nous avions tellement hâte que ce jour arrive, ta mère et moi. Voici enfin la surprise que je te réservais. J'ai fait la demande auprès de la direction de l'école sans trop y croire. Tout le monde a été d'une grande gentillesse. Je leur dis encore une fois merci pour leur disponibilité. Le directeur de ton école ainsi que les responsables de l'institut pour non-voyants ont été fantastiques. Ce que j'ai cru impossible s'est réalisé. Lorsque j'ai appris que la mère de Lumino attendait une nouvelle portée, j'étais fou de joie. Cette petite chienne que tu as dans les bras – je ne doute pas qu'elle y a pris place – a un peu de ton Lumino : c'est sa petite sœur. Je suis convaincu qu'elle saura perpétuer la mission de tendresse et de dévouement que Lumino avait si bien remplie. De ton côté, je n'ai aucun doute que tu sauras l'aimer autant que son grand frère.*

*Encore une chose que je t'ai cachée, tu me pardonnes, n'est-ce pas ?*

*Ton père qui t'aime et qui est fier de toi.*

*P.-S. Son nom est Louka.*


Toujours accroupi, Thierry tenait le chiot contre lui avec force et tendresse. Il le laissa lécher son visage pour mieux cacher son émotion.

Il aimait déjà de tout son cœur cette petite merveille toute frétillante.

Et dans cette salle chargée d'émotion, Thierry Roy éclata de rire, entraînant avec lui l'assistance.

Il se leva en gardant le bouvier dans ses bras et dit :

— Merci ! Merci, maman ! C'est le plus beau cadeau que papa ne m'ait jamais fait.

Un tonnerre d'applaudissements salua ces paroles de reconnaissance.

# Épilogue

Au cours de cette même semaine, un article parut dans le journal local, un entrefilet qui passa presque inaperçu :

DRAME À LA PRISON FÉDÉRALE

*Hier en fin d'après-midi, un détenu, dont nous tairons le nom, a été retrouvé sans vie dans sa cellule. Une enquête sera ouverte afin de déterminer la cause exacte du décès, meurtre ou suicide. C'est le deuxième décès à survenir cette année dans les murs de la prison.*

# Sommaire

La première édition
du présent ouvrage publié par
Les Éditions Porte-Bonheur
a été achevée d'imprimer
au mois d'octobre de l'an 2010
sur les presses des Imprimeries
Transcontinental (Metrolitho)
à Sherbrooke (Québec).